5万年前――。

か弱い動物だった
ホモサピエンス（人類）は、
突然能力を開花させた。
文化、技術が発達し、
彼らは、世界中へ移動を開始した。

いったい、人類に何があったのか？
誰が彼らに能力を授《さず》けたのか？

あの、「人類の覚醒《かくせい》」から5万年。
暗い洞窟《どうくつ》を出て、
全世界へ広がっていった
ホモサピエンスたちは、
その後、いったいどのような
生き物になったのだろうか？
そして、どのような文明、社会を
築《きず》いたのだろうか？

5万年後に意外な結末

プロメテウスの紅蓮の炎

桃戸ハル 編著　usi 絵

Gakken

目次

contents

プロローグ――001
第1話 青い鳥症候群《しょうこうぐん》――023
第2話 「四つ葉のクローバー」のたとえ――025
第3話 白雪姫症候群《しょうこうぐん》――027
第4話 黄昏《たそがれ》効果と吊《つ》り橋《ばし》効果――029
第5話 カニンガムの法則――031
第6話 リンゲルマン効果――033
第7話 一貫性《いっかんせい》バイアス――035
第8話 コンパッション・フェード――037
第9話 コンコルド効果――039
第10話 ロミオとジュリエット効果――041
第11話 ミネルヴァの梟《ふくろう》は黄昏《たそがれ》に飛び立つ――043
第12話 ディドロ効果――045
第13話 曖昧《あいまい》さ回避《かいひ》――047

第14話　過剰正当化効果《かじょう》――049
第15話　ピーターの法則――051
第16話　ダニング＝クルーガー効果――053
第17話　ニーズィーとルスティキーニの実験――055
第18話　オペラント条件づけ――057
第19話　損失回避《そんしつかいひ》の法則――059
第20話　ザイオンス効果（単純接触《たんじゅんせっしょく》の原理）――061
第21話　バーダー・マインホフ現象（頻度錯覚《ひんどさっかく》）――063
第22話　コントロール幻想《げんそう》――065
第23話　スタンフォードの監獄実験《かんごくじっけん》――067
第24話　パーキンソンの法則――069
第25話　パーキンソンの凡俗《ぼんぞく》法則――071
第26話　アビリーンのパラドックス――073
第27話　クリプトムネジア現象――075
第28話　インポスターシンドローム――077
第29話　カリギュラ効果――079
第30話　心理的リアクタンス――081
第31話　高所恐怖症《きょうふしょう》――083

第32話 ブーメラン効果 085
第33話 バンドワゴン効果 087
第34話 ゴーレム効果とピグマリオン効果 089
第35話 サンプルサイズの無視《むし》 091
第36話 バーナム効果 093
第37話 コントラフリーローディング効果 095
第38話 エントロピー増大の法則 097
第39話 額面《がくめん》効果 099
第40話 エンダウド・プログレス効果 101
第41話 スパイト行動 103
第42話 類似性《るいじせい》の法則 105
第43話 ゼロサムバイアス 107
第44話 ダチョウ効果 109
第45話 モラル・ライセンシング 111
第46話 スティンザー効果 113
第47話 ピアノの蓋《ふた》のたとえ 115
第48話 グレシャムの法則 117
第49話 プラシーボ効果 119

第50話 ライナスの毛布——121
第51話 ストックホルム症《しょう》候《こう》群《ぐん》——123
第52話 コブラ効果——125
第53話 働きアリの法則(パレートの法則)——127
第54話 ジャネーの法則——129
第55話 ハロー効果——131
第56話 ウェルテル効果——133
第57話 ピーターパン症《しょう》候《こう》群《ぐん》——135
第58話 アンダードッグ効果——137
第59話 正《せい》常《じょう》性《せい》バイアス——139
第60話 フードファディズム——141
第61話 スポットライト症《しょう》候《こう》群《ぐん》——143
第62話 イライザ効果——145
第63話 デフォルト効果——147
第64話 スノッブ効果——149
第65話 コロンブスの卵——151
第66話 クマンバチの飛行——153
第67話 マズローの欲求5段階説——155

第68話　透《とう》明《めい》性《せい》錯《さっ》覚《かく》——157
第69話　ストライサンド効果——159
第70話　ヴェブレン効果——161
第71話　選択話法——163
第72話　エコーチェンバー現象——165
第73話　回帰の誤《ご》謬《びゅう》——167
第74話　オンライン脱《だつ》抑《よく》制《せい》効果——169
第75話　両《りょう》面《めん》提《てい》示《じ》の法則——171
第76話　ウーズル効果——173
第77話　ツァイガルニク効果——175
第78話　フォン・レストルフ効果——177
第79話　スタンダール症《しょう》候《こう》群《ぐん》——179
第80話　ゴルディロックス効果——181
第81話　決定回《かい》避《ひ》の法則——183
第82話　事後情報効果——185
第83話　カメリアコンプレックス——187
第84話　実験者効果——189
第85話　確証バイアス——191

第86話 インパクト・バイアス —— 193
第87話 囚人《しゅうじん》のジレンマ（ゲーム理論） —— 195
第88話 画像優位性効果 —— 197
第89話 ラプラスの悪魔《あくま》 —— 199
第90話 不気味の谷現象 —— 201
エピローグ —— 203
プロメテウスの用語辞典あるいは蛇足《だそく》のような説明 —— 215

グチュ
ヒュン
ギャアアァ
ドス
!!

ドサ
初めまして…
ザ

プロメテウス
5万年前——。ゼウスは人間に火を与えなかった
火をもらえず、寒さや動物におびえてる人間をあわれに思ったプロメテウスは、
ヘリオスの戦車の車輪からこっそりと火を持ってきて、人間に渡《わた》した。
人間は、火を使って文明や技術を生み出した。
しかし同時に、武器を作って戦争を始めもした——

ゼウスは怒《いか》った。
2万年の審問《しんもん》ののち、プロメテウスは、
罰《ばつ》として磔《はりつけ》にされ、生きたまま、肝臓《かんぞう》を鷲《わし》についばまれることになった。
プロメテウスは不死の身体をもっていたので、その苦しみは毎日繰《く》り返《かえ》された。
苦しむプロメテウスに、ゼウスは言った。
「おまえのために永遠の命を手放す者が現れるまで、おまえの苦しみは続くだろう」

そして3万年、現在——
…そうか、誰か死んだのだな？
君が手引きしたのか？
ガキン
…はい
ケンタウロス族のケイローンが……
彼も不死でしたが、不治の毒《どく》に冒《おか》され、
苦しみからの解放を望んでおりました
パキッ
……
グッ
！
ザッ

申《もう》し遅《おく》れました。
私は、ゼウスと人の子…
半神半人のヘラクレスと申します
ゼウスの正妻ヘラから憎まれ、それが元で数々の試練《しれん》を受ける運命にあります
ゼウスに逆らい、人間に寄《よ》り添《そ》ったあなたに、助言をいただきたい
なるほど、そのための解放か……
たしかに礼はせねばなるまい
しかし…

私は、ゼウスに敗れ……
世に混乱を生んだだけだ
私にできることなどないよ…
ムク
なぜ、人間に火を？
？
神であるあなたが
全知全能であるゼウスに逆らってまでなぜ人間に寄《よ》り添《そ》うのです？
なぜ？

人間は
凍《こご》え、
飢《う》えていた
火があれば、暖《だん》をとり、食べ物を調理することができる
ボウ
たとえ神とて、その権利を奪《うば》っていいものではない
…それだけだ
愚《おろ》かなプロメテウスよ……
……
…3万年ぶりだな

ゼウス…
なぜ私が愚《おろ》かな人間から火を奪《うば》ったのか、いまだ理解できぬと見える…
相変わらず尊大《そんだい》だなゼウス
プロメテウス
全能の神としておまえを導いてやろう

おまえが火を与えた人間たちが、
ズオオ
その後、どうなったのか。その目で見てみるがいい
!
そして己《おのれ》の浅はかさを恥《は》じながら私に忠誠《ちゅうせい》を尽《つ》くすのだ
父よ あまりに横暴ではありませんか!
オオオ オオ
いや いいさ
ただし案内はけっこう
私は私の意志で行く
…いいだろう
シュン
プロメテウス…

なぜ……
私がなぜ、
人間に火を
与えたのか
ゼウスが
愚《おろ》かだと
断じる人間に
何を
見出したのか…。

たしかめよう
バ
サ

ブックデザイン：Ｓｉｕｎ
執筆協力：森久人
（話数番号＝4、9、12、13、22、26、27、32、35、37、41、43～45、52、55、58、60～64、71、75～77、79、81～84、86）
編集協力：原郷真里子、飯塚梨奈、相原彩乃、黒澤鮎見、宿里理恵、舘野千加子、北村有紀、小林夕里子、藤巻志帆佳
ＤＴＰ：四国写研

第1話

青い鳥症《しょう》候《こう》群《ぐん》

「純愛《じゅんあい》」という行動は、人間の美徳の一つでもある。
ゼウスには、人間のそういう行動は、
絶対に理解できないのだろう、とプロメテウスは思った。

今、目の前で1人の男が、願いごとを祈《いの》っている。
「初恋の相手と結婚したい、そのために、
たった一度だけ、どんな女性も、
自分のことを愛してくれる魔法を授けてくれ」と。
プロメテウスは、迷《まよ》わず、その男に魔法を授けた。
「この魔法を使えるのは、一度だけだ。
ただし、すでに恋人がいる女性の気持ちを、
こちらに向かせることはできない。
使うタイミングを間違えるなよ」
その注意も忘れなかった。

男の30年後の未来をのぞいてみた――。

明らかに1人暮らしの生活をしている男が、テレビを観ながら、何やらブツブツとつぶやいている。

「初恋の相手になんか、この貴重《きちょう》な魔法を使えるかよ。せっかく、誰とでも結婚できるチャンスなのに。この女優も魅力的《みりょくてき》だな。そろそろ使うか? いやいや、恋人がいたら、効果がない。それに、もう少し待てば、もっと美しい女性が現れるかもしれないぞ。もう少しだけ待ってみよう」

プロメテウスは思った。

「この男は、魔法に頼らずに告白することはないだろう。そして、『きっと、もっともっと……』と思って、一生、魔法を使うこともないだろう」

もっともっと美人で、性格がよい女性が現れるはずだ……

第2話

「四つ葉のクローバー」のたとえ

ここは、人々の悩《なや》みを聞き、アドバイスを授けてくれる、カウンセリングルーム。

そこでカウンセラーをつとめているのは、人間の姿《すがた》になった、プロメテウスである。

人間のことをより深く知るために、はじめた仕事だ。

今日もこの場所に、1人の男が客として訪れた。

男は、自分を、大学で研究職につく科学者だと名乗った。

「私は本当に運がない人間なんです。

大学では、誰も手がけていない分野の研究を進め、研究にすべての時間を捧《ささ》げています。

私の先進的な研究は、誰にも指導《しどう》できないから、師となる先人も、ともに励《はげ》まし合《あ》う仲間もいません。

そこまでして頑張《がんば》っているのに、あと一歩のところで成果が上がらない」

私に必要なのは、ほんの少しの運だけなんだ。
どうすれば、その幸運を、つかめるんでしょう?

プロメテウスは、優しい口調で言った。
「人間の世界には、『四つ葉のクローバー』という
ものがあるでしょう?」
科学者が、いぶかしんだ表情で聞いた。
「人間の世界?」
プロメテウスは、あわてて誤魔化《ごまか》すように続けた。
「それは、今は、どうでもいいことです。
『見つけると幸運』という、シロツメクサのことです。
四つ葉のクローバーはどこで見つかりやすいか、
知っていますか?」
「うーん、まだ誰も探していない
草むらとかですか?」
「違うんです。人が通って、踏《ふ》みつけた場所に、
四つ葉のクローバーはできやすいんです。
人に踏《ふ》まれて茎《くき》が傷《きず》つくと、
それが『四つ葉』になる要因《よういん》になるそうです。
だから、あなたも……」

だから、あなたも、時には、誰かと同じ道を歩いたり、誰かが先に通った道を歩いてみてはいかがですか?
「幸運」というものは、孤独《こどく》な道のりや、誰もたどりついていない場所にあるんじゃないかもしれませんよ

第3話

白雪姫症《しょう》候《こう》群《ぐん》

「鏡よ鏡、この世でいちばん美しいのは誰？」
王妃《おうひ》の問いに、鏡は答える。
「お妃《きさき》様、それはあなたでございます」
そんなやりとりが毎日の日課だったが、
ある日、鏡が王妃の期待に背《そむ》く返事をする。
「お妃様、それは、あなた――
ではなく、あなたのお子様である、お姫様です」
――いつか、こんな日が来るのではないかと思っていた。
だから、我《わ》が子《こ》をいじめ抜いた。
それを見かねた夫である王が、
姫を遠くに住まわせることになり、現在に至《いた》っている。
――あの憎《にく》らしい姫を亡《な》き者《もの》にしなくてはいけない。
王妃はそう決意すると、老婆《ろうば》に変装《へんそう》し、
毒《どく》りんごをカゴに入れた。

王妃がそう決断したのは、
「王国一の美女」の座を奪《うば》われたからだけではない。
かつて、自分の味方になってくれた
「七人の小人」たちは、皆、娘になついてしまい、
自分を避《さ》けているように思える。
そして、自分を眠《ねむ》りから覚ましてくれて、
その後に結婚をした王子（現国王）も、
最近では、自分には見向きもしてくれない。
かつては、「雪のように白い肌《はだ》だから、白雪姫だ」
とまで言ってくれたのに……。
今は王妃となった白雪姫は、毒《どく》りんごを手に取った。
かつて、自分の母がしたのと同じく、
娘を毒殺するために……。

子どもの頃に母親から虐待《ぎゃくたい》された経験をもつ母親は、
自分が母親になったとき、
娘を虐待してしまうことがあるという。

第4話

黄昏《たそがれ》効果と吊《つ》り橋《ばし》効果

ある男が、愛の告白をするために、黄昏時《たそがれどき》の吊《つ》り橋《ばし》の上に、女を呼び出した。

体内リズムの関係で、人は黄昏時に判断力が鈍《にぶ》る。その時に告白されると、言われるがまま了承《りょうしょう》してしまいやすく、成功率が上がるという。

また、吊り橋のような不安定な場所に二人で行くと、不安の緊張《きんちょう》と、恋愛感情の緊張《きんちょう》を無意識に取り違え、恋に落ちやすくなるという。

男はそうした心理効果を駆使《くし》して、告白したのだ。

見事、男は好意を寄《よ》せる女と付き合うことになった。

男は、好きな女と結ばれた。
しかし、幸せにはなれなかった。
心理効果を利用して手に入れた彼女の愛を、
本当の愛だと信じることができなかったのだ。
「相手は思い込んでいるだけで、
本心から自分を愛してはいないかも……」
そんな思いが態度をよそよそしくしたせいか、
女との間にしだいに壁《かべ》ができて、
二人は互《たが》いに憎《にく》しみあうまでになった。
男は、なぜ自分がこの女を、
あんなにも愛していたのかもわからなくなった。
もしかしたら自分の愛も、黄昏《たそがれ》と吊《つ》り橋《ばし》による、
ただの勘違《かんちが》いだったのかもしれない。
ならば、自分の本当の気持ちは何だったのか――。

吊り橋効果で結ばれた恋人同士は、
別れるのも早いという。

だれかを愛する自分の心すら、それが本心か自分でわからない。
なんと人間の愚《おろ》かなことか

第5話

カニンガムの法則

あるネットの掲示板に、次のような質問がなされた。

「【至急《しきゅう》】大学で、『トンボを例にして、昆虫《こんちゅう》の聴覚《ちょうかく》について、２０００字でまとめよ』という課題が出されました。そのままコピペできるよう、２０００字以内で、その模範《もはん》解答《かいとう》を教えてください」

しばらくの間、その質問に回答する者は現れなかった。

そして３日後、次のような回答が書き込まれた。

「学校の課題を、自分で調べも考えもせず、ネットで質問してそのままコピペして、提出しようという姿勢《しせい》に憤《いきどお》りを覚えます」

そして、その後も、質問者にアドバイスするような書き込みは、なされなかった。

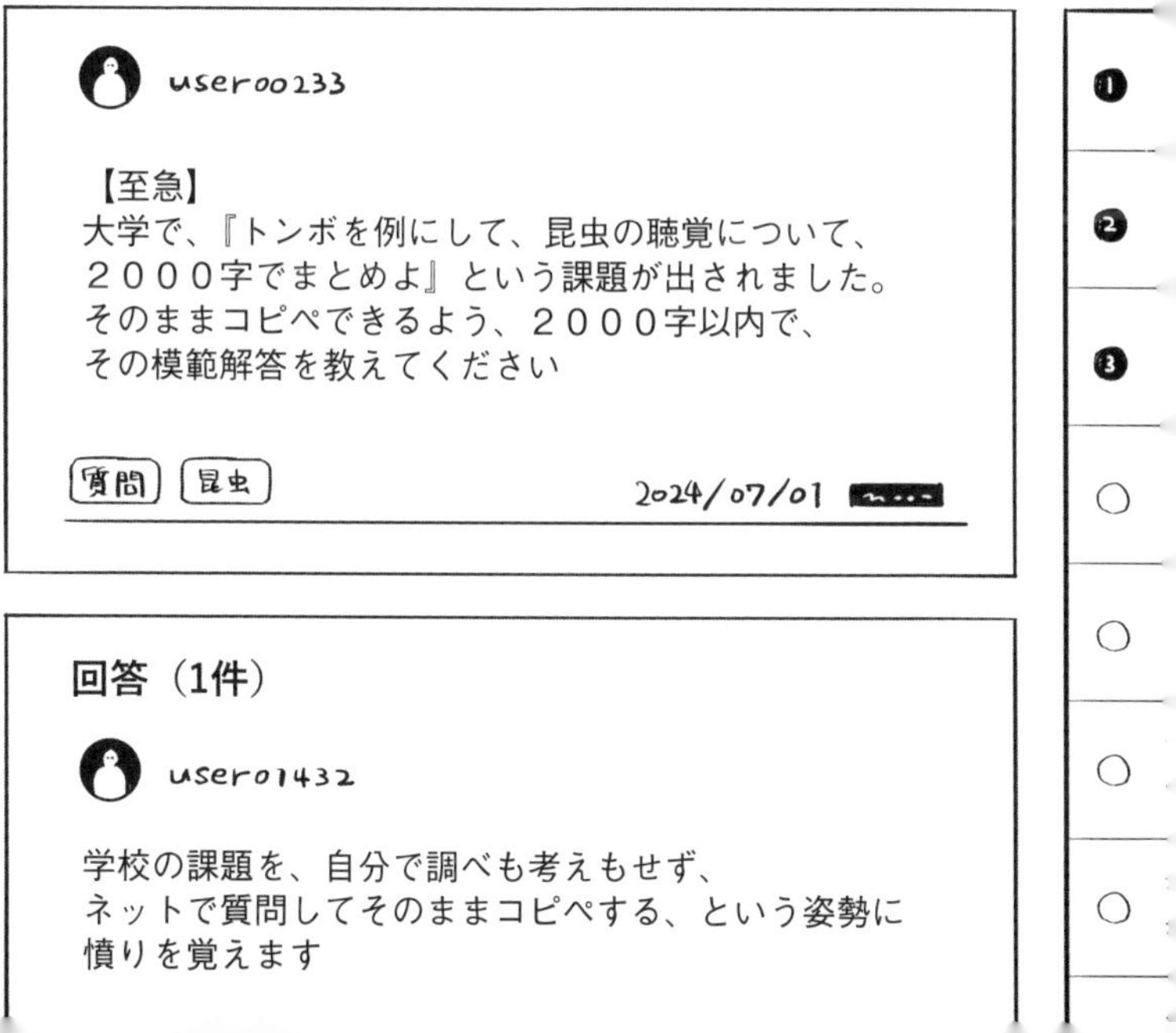

user00233
【至急】
大学で、『トンボを例にして、昆虫の聴覚について、
２０００字でまとめよ』という課題が出されました。
そのままコピペできるよう、２０００字以内で、
その模範解答を教えてください
質問
昆虫
2024/07/01
回答（1件）
user01432
学校の課題を、自分で調べも考えもせず、
ネットで質問してそのままコピペする、という姿勢に
憤りを覚えます

しかし、1週間後、その掲示板《けいじばん》にある書き込みがされると、ものすごいスピードで、精度《せいど》の高い回答が次々と書き込まれるようになった。

その「ある書き込み」は、以下のようなものであった。

「トンボは、その背後《はいご》から近づいても、物音がすると、飛んで逃《に》げてしまうことがある。そこで、翅《はね》をすべて切り落としたトンボを棒《ぼう》の先に止まらせて、背後から近づいてみるという実験を行った。結果、トンボは、逃げなかった。以上のことから、トンボの聴覚器官は、翅の中にあることがわかる（以下略）」

このトンチンカンな回答を否定《ひてい》するための、「正しい2000字の回答」が、たくさん寄《よ》せられたのだ。

インターネット上で正しい答えを知るための最良の方法は、「質問すること」ではなく、「間違った答えを書くこと」である、という。

トンボの聴覚器官は、翅の内部にあることがわかる……
質問
昆虫
2024/07/08
回答（10件）
user00616
それは間違いです。
まず、翅を持つ昆虫は旧翅類《きゅうしるい》と新翅類《しんしるい》に分けられます。
トンボは旧翅類であり、旧翅類には……

第6話

リンゲルマン効果

テロリストが運転する1台のトラックが、歩行者天国に進入しようとした瞬間《しゅんかん》、3人の屈強《くっきょう》な若者が、トラックの前に立ち、両手でトラックを制止《せいし》した。

ヒーローチーム、「スーパー7」の中の3人である。

テロリストが、思いきりアクセルをふむ。

3人も、顔を真っ赤にして、全力でトラックをとどめる。

両者のパワーは拮抗《きっこう》していたが、徐々にトラックが前に進む。

——残りのメンバーが来てくれれば、トラックを押し返せるのに！

3人がそう思ったときに現れたのは、「スーパー7」の残りの4人全員だった。7人でトラックに対抗《たいこう》すれば、問題なくトラックを止められる。

メンバーたちは、顔を見合わせ、力強くうなずき合った。

7人が
力を合わせれば
大丈夫《だいじょうぶ》だ!!

その瞬間《しゅんかん》、トラックがパワーを上げたわけでもないのに、
「スーパー7」の全員がトラックに弾《はじ》き飛《と》ばされた。
幸いにして、
スーパー7がトラックを制止《せいし》している間に、
歩行者は全員避難《ひなん》していたが、
スーパー7のメンバーたちは、
それぞれ大怪我《おおけが》を負った。

全員で力を合わせて何かをしようとするとき、
「誰かがやってくれるだろう」
「自分1人くらい力を抜いても大丈夫《だいじょうぶ》だろう」
などと思ってしまい、1人でやるときよりも、
メンバーが力を合わせたときのほうが、
個人の「能力」「パワー」が低下することがあることを、
「スーパー7」のメンバーは、はじめて知った。

とはいえ、俺が力を抜いても、大丈夫《だいじょうぶ》だろう
皆、俺の分も頑張ってくれ
俺は疲《つか》れてるから、みんな、頼んだぞ！
皆が力を合わせれば、絶対に勝てる！

第7話

一貫性《いっかんせい》バイアス

内気で友人もなく、
他人と話すことにもおびえていた僕を
支えてくれたのは、
中学時代の恩師《おんし》――美術部の顧問《こもん》の水森先生だった。
水森先生は言った。
「大人しくて、優しいのはキミの美徳だよ。
でも、キミの絵を見ればわかる。
キミの中に、激しい表現欲があるってことが。
キミは変わらなきゃダメだ」
先生は、幾度《いくど》となく僕に、
「変わらないとダメだ」と言い続けてくれた。
でも中学時代、結局僕は、
「暗くて目立たない存在」から
変わることはできなかった。

しかし、高校時代に僕は変わることができた。
改めて先生の言葉を思い出し、
「絶対に変わってみせる」と誓《ちか》ったのだ。
それからの僕は、他人に自分を表現することを、
「喜び」と感じるようになった。
社会人になってからは、デザイン会社を起業し、
周囲からは、「アクが強い」「ウザい」とまで
言われるような性格になった。
久しぶりに先生から、「会おう」と連絡があったのは、
そんな頃のことだった。食事をしながら先生と
長時間談笑《だんしょう》し、近況《きんきょう》などを語り合った。
別れ際、先生は僕に言った。
「会社を経営するって、大変なんだな。
今のお前は、あの頃のお前とは別人みたいだ。
無理をしているように見えるよ。
こんなことを言うのは何だけど、先生は、
暗くて大人しい、本当のお前のほうが好きだな」

第8話

コンパッション・フェード

地球に、小さな宇宙船が不時着した。
宇宙人は翻訳機《ほんやくき》を持っており、故郷の星が崩壊《ほうかい》し、
命からがら逃《に》げてきたことを地球人に告《つ》げた。
宇宙人はケガをしており、その治療《ちりょう》のため、
また地球人と体質の異なる宇宙人が
生活できるように環境を整えるためには、
莫大《ばくだい》な予算が必要となる。
しかし、予算の問題はすぐに解決した。
全人類が、帰る場所のない哀《あわ》れな宇宙人に
深い同情を示し、多額の寄付金《きふきん》が集まったのだ。
治療を終え、体調の落ち着いた宇宙人は、
会見を開き、全人類に感謝を述べた。
「みなさん、本当にありがとうございます。
皆さんほど慈悲深《じひぶか》い方々を私は知りません」

しかし、宇宙人はさらに続けて言った。
「私はあなた方のような人々を探していました。
私が乗ってきたのは調査用の小型船で、
5000万の私の同胞《どうほう》が乗った母船が、
助けを求めて、今、地球に向かっているのです。
どうか我々《われわれ》をお救いください」
その言葉は、地球に大きな混乱を巻《ま》き起《お》こした。
「どこにそんな宇宙人を受け入れる余裕がある？」
「そもそも彼らを救う責任が、地球人にあるのか？」
「いくらなんでも図々しすぎる！」
宇宙人が1人の時、どれほどの費用や労力が
かかろうと、地球人たちは支援《しえん》を惜《お》しまなかった。
しかし、5000万の宇宙人に対しては、
同じような同情を示さなかった。同情の対象が
あまりに大きくなると、人間は同情を放棄《ほうき》する。
地球人は結局、最初に来た宇宙人を含《ふく》め、
彼らのすべての受け入れを拒否《きょひ》し、宇宙へと追い返した。

第9話

コンコルド効果

「おい、もうやめたほうがいいって」
友人に止められても、男は、それを無視《むし》した。
「ここまで金をつぎ込んで、負けたまま終われるか！」
男は、カジノのルーレットにかじりついて離《はな》れない。
「これ以上やっても、損《そん》が増えるだけだ。
負けた分はもうあきらめろ！」
それでも、忠告《ちゅうこく》を無視して、男は賭《か》け続けた。
負ければ負けるほど、あとには引けなくなっていく。
やがて男のその日の所持金は底をついた。
最後に当たらなければ、スッカラカンだ。
男は瞬《またた》きも忘れてルーレットを転がる球を凝視《ぎょうし》した。
そして――
「当たったぁ！　見ろ！　あきらめなければ、
最後には勝てるんだ！」

「最後に勝たせてしまってよかったんですか？」
男が帰った後、ディーラーがオーナーに聞いた。
実はこのカジノは、いかさまで出目《でめ》を操作《そうさ》しており、
男の勝ちも負けも、すべて手の内だったのである。
「大負けしているのに、つぎ込んだ金が惜《お》しくて
やめられない、ああいう人間はいいカモだからな」
オーナーは笑って言った。
「今日、最後に少し勝たせてやったことで、
男はまた遊びに来るだろう。
そしてまた、負けても負けても賭《か》け続ける。
一度当たっているから、なおさらあきらめきれない。
負けてあきらめるなんてないんだ。
負けた金を取《と》り戻《もど》したくて、
何度も何度もこのカジノに通うようになる。
そうなれば俺たちは、もっとたくさんの金を、
あいつからしぼりとっていけるというわけさ。
あきらめれば、損は最小限ですむのにな」

人間は、つぎ込んだ金や
労力を、簡単には
あきらめることが
できない。
どこかで損《そん》を
受け入れなければ、
もっと大きな損を
するのに……

第10話

ロミオとジュリエット効果

長年のライバル同士で、いがみ合い、けなし合い、憎《にく》しみ合ってさえいる会社があった。

ある日、両社の経営者《けいえいしゃ》の子どもたち――若き青年と美しい娘――がパーティーで出会い、恋に落ちた。

2人は、自分たちの境遇《きょうぐう》を呪《のろ》い、許《ゆる》されざる恋に絶望した。

それでも、2人の恋の炎《ほのお》が消えることはなかった。

ある日、青年が言った。

「反対されるかもしれないが、僕らの気持ちを、親たちに知ってもらおう」

そして両家の親がそろう中、2人の関係が報告された。

2人の予想に反し、親たちは大喜びした。

「両社が手を組んで会社が合併《がっぺい》すれば、この業界に、怖《こわ》いものなしだな。2人とも、ありがとう!」

しかし、元々の価値観が違う恋人同士は、
だんだんとすれ違い、ケンカも増え、結局、別れてしまった。
「会社の合併《がっぺい》」も、実現することはなかった。

ある日、いがみ合う両社を経営する父親同士が、
苦々しい顔をして、酒を飲みながら語っていた。
「お前と一緒に酒を飲むなんざ、これが最初で最後だ。
今日だけは、作戦がうまくいった祝勝会《しゅくしょうかい》だ」
「当たり前だ。貴様の会社と合併なんて、
口に出しただけで、吐《は》き気《け》がしたわ。
だけど、我々が、2人の交際に反対でもしたら、
あのシェイクスピアの作品みたいに、
余計に恋の炎《ほのお》が燃え上がってしまうからな」
「そうそう、反対されればされるほど、それを燃料に、
いっそう盛《も》り上《あ》がる。交際をやめさせるには、
言いたいことをぐっと我慢《がまん》して、
燃料を断ち切って、炎を小さくしていくのが一番だ‼」

第11話

ミネルヴァの梟《ふくろう》は黄昏《たそがれ》に飛び立つ

夕暮時の、とある大学構内――。
道端《みちばた》で雑談《ざつだん》していた2人の女子大学生に、
1人の、暗い表情の女子大学生が近づいてきた。
雑談していた1人が、彼女に書類を渡し言った。
「ミネルヴァ、今日は遅《おそ》かったのね」
ミネルヴァと言われた女子学生は、
書類を受け取ると、何も言わず去って行った。
雑談をしていた、もう1人が尋《たず》ねる。
「『ミネルヴァ』って、ローマ神話の知恵の神でしょ？
ギリシャ神話だと、『アテナ』だったっけ？
あの人、そんなに賢《かしこ》いの？
授業中、ずっと寝《ね》ているイメージしかないけど」
尋《たず》ねられた学生が、
困《こま》ったような表情で説明を始めた。

哲学者《てつがくしゃ》のヘーゲルの、「ミネルヴァの梟は黄昏に飛び立つ」って言葉、知ってる？
いろいろな解釈《かいしゃく》ができるんだろうけど、「ひとつの時代が終焉《しゅうえん》を迎《むか》えるとき、その時代精神や知恵を掬《すく》い上《あ》げて、哲学が形成される」って意味。
世界中の知恵を集めて回るのが、「ミネルヴァの梟」の役目なのねそれを聞いた女子学生は言った。
「知恵を集めて回るミネルヴァかぁ〜。
かっこいい愛称《あいしょう》だね。
あの娘《こ》、哲学《てつがく》専攻なんだっけ？」
質問された女子学生は、ため息を吐《つ》きながら答える。
「逆、逆。まったくのポンコツ学生だよ。
さっき私が渡したのは、明日締《し》め切《き》りのレポート。
あの娘、レポート締め切りの前日の夕方に、
レポートを写させてもらうために、
いろいろな人のところを回って歩くの。
で、それを一晩《ひとばん》かけてつなぎ合わせたりして、
『自分のレポート』として提出《ていしゅつ》するってわけ。
『ミネルヴァ』とか、『ミネルヴァの梟《ふくろう》』とかって、
あの娘が呼《よ》ばれているのは、
みんなが小馬鹿《こばか》にして、皮肉で呼んでるのよ。
本人も、それが恥《は》ずかしいから、
いつも逃《に》げるように立ち去るのよ」

神々の世界の
随一《ずいいち》の頭脳《ずのう》の名前を、
そんな者に
つけないでくれ！

第12話

ディドロ効果

古傷《ふるきず》が痛《いた》んで道でうずくまるプロメテウスを、通りがかりの人間の女が親切に介抱《かいほう》した。

容姿《ようし》、才能、財産も……女が、優しさ以外に人並み以上のものを何ももっていないことは、プロメテウスには一目でわかった。

「せめて美しい容姿、それ以外は何もいらない……」

お礼に、プロメテウスは女の願いを聞き、叶《かな》えてやった。

美しくなった女は喜んだが、やがて言った。

「私には、この容姿に相応《ふさわ》しい服がないわ」

プロメテウスはきれいな服を与《あた》えてやった。

「服に相応しいアクセサリーが……」

「私の美貌《びぼう》につり合う恋人が……」

次々に女は望み、プロメテウスはそれを叶えてやった。

願いが叶うたび、女はとても喜んだ。

数えきれない願いを叶《かな》え、今や女は完璧《かんぺき》だった。

容姿も、服や宝石や恋人も、一点の曇《くも》りなく美しい。

一生遊べる財産さえ彼女は手にしていた。

しかし、それでも女は、不幸せな表情をしていた。

「何もかも完璧なのに、何を嘆《なげ》くことがある？」

プロメテウスが尋《たず》ねると、女は答えた。

「美しくないものが一つだけあるの」

「いったい何だ？　与《あた》えられるものなら与えよう」

「無理よ……だってそれは、私の心なの。

次から次に何かを欲しがる自分の心の
浅ましい醜《みにく》さに気づいてしまったのよ。

心の美しさだけが、唯一《ゆいいつ》もっていた、
私の宝物だったのに……」

プロメテウスは彼女に
すべてを与えたつもりだった。
しかし、本当はとても大切なものを
彼女から奪《うば》いとってしまったのかもしれなかった。

人間とは、何かが手に入ると、次々と、ほかのものも手に入れたくなる生き物だと思い込んでいたが…
そうさせたのは、私なのだろう。統一《とういつ》したデザインの家具で部屋を飾《かざ》りたくなるように、私こそが、人間の欲望を刺激《しげき》し、新しい欲望を与《あた》えてしまっていたのだ…

第13話
曖昧《あいまい》さ回避《かいひ》

人間が愚《おろ》かな行為をしてしまうのは、
人生が一度きりしかないからかもしれない。
一度だと、練習もできないし、
失敗の反省をふまえて、やり直しもできない。
そこで私は一人の人間に、
過去に戻《もど》って人生をやり直すチャンスを与えた。
彼は、これまで、
ちょっとした選択の失敗と不運から、
ろくでもない人生を歩んできた人間だ。
二回、三回と人生を繰《く》り返《かえ》せば、
きっと賢《かしこ》く、正しい道を
歩めるようになるだろう。

しかし、いくら繰《く》り返《かえ》しても、
彼の人生は変わらなかった。
何度も同じ失敗をし、同じ人生を歩み、不幸になる。
むしろ、進んで同じ選択をしているようにも見える。
「どうして違う生き方を選ばないんだ？」
とうとう私が尋《たず》ねると、彼は、こう答えた。
「違う選択をしたら、何が起きるかわからない。
同じ選択をすれば、これから降《ふ》りかかる
不幸も失敗も、すべてわかっている。
どんな不幸でも、わかっていることなら、
耐《た》えることができる」
それだけ言うと人間は、間違いだと知りつつ、
また誤《あやま》った選択を繰り返し始めた。
その気になれば、すべてを変えられるのに、
彼は安心できる「わかっている未来」を
これからも選び続けるのだろう。

第14話

過剰正当化効果《かじょう》

プロメテウスのカウンセリング室に現れた男が、開口一番、熱い調子で語り出した。

「私は、アーティストたちのクリエイティブな活動を全面的にサポートしたいと思って、この事務所を立ち上げたんです」

男は、アーティストたちの作品を、資産家や企業に売り込む仕事をしているという。

「おかげ様で事務所の業績は好調で、アーティストたちに、多くの報酬《ほうしゅう》を払《はら》えています。だから彼らは、創作活動に専念《せんねん》できているんです」

しかし、一転して表情を曇《くも》らせて続けた。

「それなのに、最近、多くのアーティストが、『事務所をやめたい』と言い始めたんです。なぜなんでしょう？　彼らは何が不満なんでしょう？」

プロメテウスは、少し考え、
言葉を選びながら言った。
「アーティストを支えたいというあなたの情熱は、
十分に伝わってきました。
しかし、失礼な言い方になりますが、
あなたは彼らの気質を、
正しく理解していないのかもしれません」
男は、プロメテウスの次の言葉を待った。
「表現することに喜びを感じていたアーティストが、
莫大《ばくだい》な報酬《ほうしゅう》を手に入れてしまったとき、
彼らの心には、こんな気持ちが
芽生《めば》えてしまったんじゃないでしょうか。
――『自分は、お金のために働いている』と。
そして、『お金とは関係なく表現する』という
モチベーションを失ってしまったんじゃないでしょうか。
『評価』のつもりの報酬は、時として、
自発的な動機を奪《うば》ってしまうのかもしれません」

第15話

ピーターの法則

『キミは、我《わ》が社《しゃ》の星になる存在だ』と言われて、今勤《つと》めている会社の社長に引き抜かれたのが、転職のきっかけです」

まだ20代に見える女性が、プロメテウスに言った。

『我が社は、完全に能力主義の会社だから、実力さえあれば、性別に関係なく、きちんと評価されて、出世もできる』って、社長は、そうも言いました」

「何が不満なんですか？　ちゃんと評価もされてるんでしょ？」

「周りの社員が、無能な人ばかりなんです。上司は、課長も、部長も、みんな仕事ができない人ばかり。そんな無能な人の下で働くのはウンザリなんです。優秀な人たちから、刺激《しげき》を受けられると思っていたのに……」

プロメテウスは、少しだけ冷ややかな口調で言った。

「だったら、能力主義の会社を辞《や》めればいいんじゃないですか？」

女性は、顔を真っ赤にして、抗議《こうぎ》した。

「自分の能力を正当に評価してもらいたいのに、『能力主義の会社を辞《や》めろ』って、どういうことですか？　そんなアドバイス、何の解決にもならないでしょ！」

さとすようにプロメテウスは言った。

「能力主義が徹底《てってい》されている会社では、能力さえあれば、地位はどんどん向上していくんです。でも、その分、仕事は難しくなり、能力の限界で出世は止まります。

たとえば、『部長』というのは、

『部長以上になる能力のない人』なんです。

結果、能力主義の会社には、
その立場以上の能力をもたない、

『無能な人』が、ゴロゴロいるような状況になります」

女性が、信じられない、という表情で聞いている。

「まだ、能力主義ではない会社のほうが、
さほど高くない地位に、とんでもなく優秀な人が
いるかもしれませんよ」

10年後
うちの会社、無能な上司ばかりなんです！
部長は女性なんですけど、「私、社長に、『キミは我《わ》が社の星になる』って言われたのよ」なんて昔自慢《じまん》ばかり。仕事もできないクセに！

第16話

ダニング＝クルーガー効果

今日もまた、プロメテウスのカウンセリング室に、1人の男が訪れた。見るからに自信なさげな表情のその男は、表情から察せられるような悩《なや》みを口にした。

「私、自分の能力に自信がもてないんです。今の若者は——新入社員でさえも、皆、自信に満ちあふれていて、どんなことにも前向きに見えます。それにくらべて、自分は、全然仕事の能力も低いし……」

男から、彼がどんな仕事をしてきたのかを、プロメテウスはじっくりと聞いた。

そして、結論を伝えた。

「あなたは、そういう若者たちに、劣等感《れっとうかん》をもつ必要は、まったくありません。なぜなら、彼らは、『馬鹿《ばか》の山』を登っているだけでしょうから」

『馬鹿《ばか》の山』とは？　うちの会社の若者たちは、
決して『馬鹿』というわけではないですが……」
　プロメテウスは、あわてて補足《ほそく》した。
「すみません。それは、そういう用語なんです。
ダニングとクルーガーという、２人の研究者によって
発表されている概念《がいねん》の中にでてきます。
彼らの説によると、たとえば仕事で、
能力の低い人や、経験の浅い人ほど、
自分の能力を正しく把握《はあく》できずに、
自分を過大評価することがあります。
逆に、経験を積んで、知見をもった人ほど、
仕事の難しさや、自分の能力を正しく理解できるから、
そのことに絶望し、自信を失ってしまうんです。
でも、それは、正しく成長している証拠《しょうこ》なんです。
自信が揺《ゆ》らいでも、経験を積んで成長すれば、
成長の過程である『啓蒙《けいもう》の坂』を上り、
きっと『安定の大地』にたどりつけるはずです」

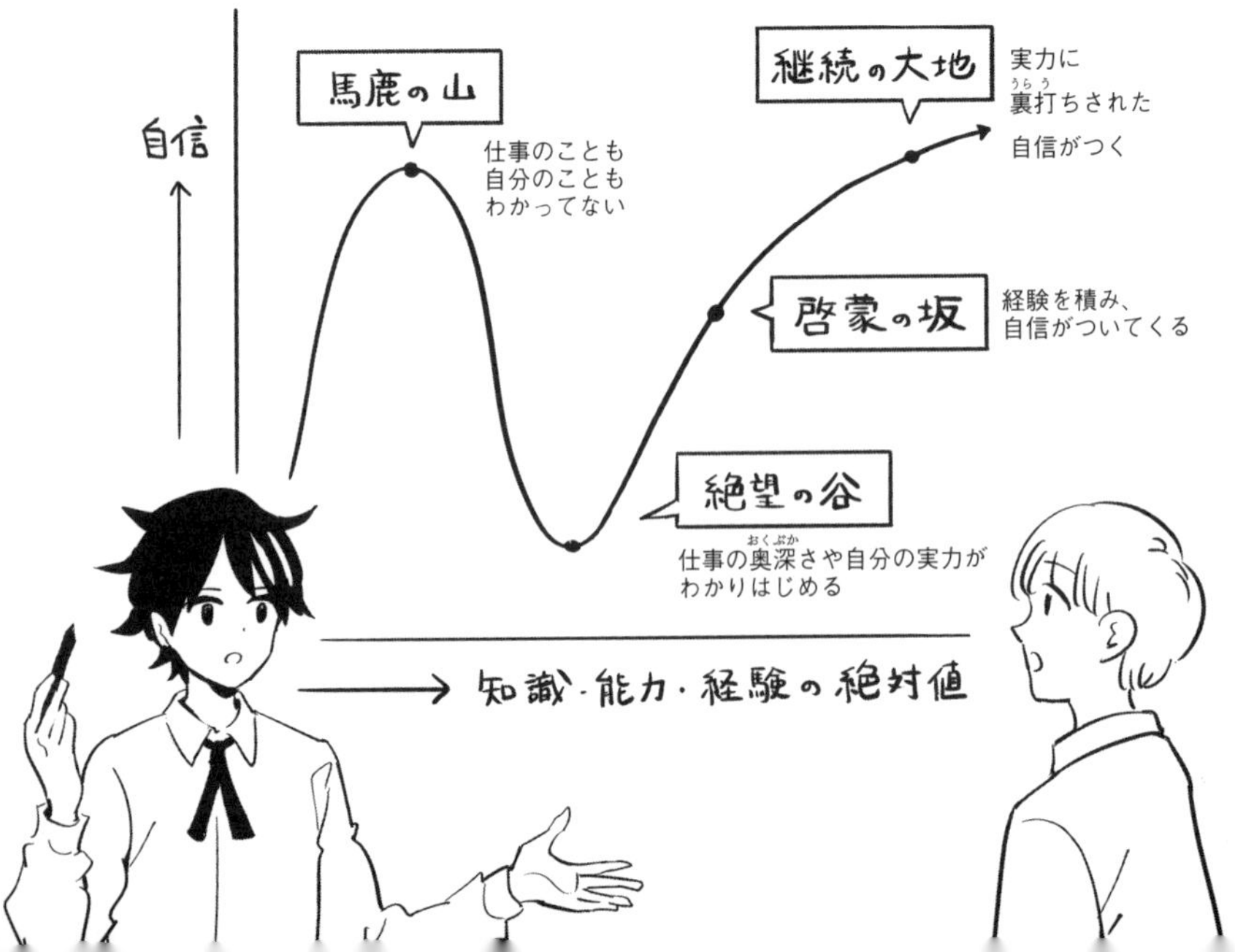

自信
馬鹿の山
仕事のことも
自分のことも
わかってない
継続の大地
実力に
裏打《うらう》ちされた
自信がつく
啓蒙の坂
経験を積み、
自信がついてくる
絶望の谷
仕事の奥深《おくぶか》さや自分の実力が
わかりはじめる
知識・能力・経験の絶対値

第17話

ニーズィーとルスティキーニの実験

その保育園の園長は怒《いか》っていた。

一部の保護者が、お迎《むか》え時間のルールを守らず、約束の時間になっても、子どもを迎《むか》えに来ないのだ。

だからといって、園児を、1人で帰すわけにはいかない。

結局、保育士たちは、保護者が迎えに来るまで、園に残っていなくてはいけなくなる。

「急な仕事があって、時間通りに迎えに来れない、という保護者の事情もわからないではない。

でも、保育士たちにだって生活があり、大事な家族がいるということが、わからないのだろうか……」

園長は、ルールを破って、お迎えに遅《おく》れた場合、その遅れた時間の長さによって額が異なる、罰金《ばっきん》を課すことを決断した。

おしらせ
罰金制度について
罰金《ばっきん》など、本意ではない。
でも、これでルール違反《いはん》が減ってくれればいいのだが……

園長の期待通り、「罰金制度《ばっきんせいど》」の導入《どうにゅう》から、
お迎えの遅れは激減した――などということは
まったくなかった。むしろ、ルール違反は激増した。
それまで「お迎えの遅れ」は、
一部の保護者に限られていたが、
まんべんなく皆が、遅れるようにもなった。

今までは、形のないモラルによって
支えられていたものが、
「罰金制度」という、きちんとした制度《せいど》になることで、
「お金（罰金）を払《はら》えば、お迎えに遅れてもいい」と、
保護者の意識の中で、すり替《か》わってしまったのだ。

保育園の電話が鳴り、園長が電話をとる。
お迎えに遅れる、という保護者からの電話だった。
「あのー、規約《きやく》には書いてなかったんですが、
お迎えが5時間遅れる場合の料金って、いくらですか？」

園長
罰金制度化したことで、
皆がルール違反しだすのは、
『人間の性《さが》』の
問題だけじゃなくて、
社会制度の問題も
あるんだろうな……

第18話

オペラント条件づけ

ある日から、プロメテウスのクリニックの白い外壁《がいへき》に、グラフィティが描かれるようになった。

「グラフィティ」とは、ペンキやスプレーで描かれた、ストリートアートとも呼ばれるものだが、クリニックの壁に描かれていたグラフィティは、「アート」と呼ぶのもおこがましい、単なる落書きである。

プロメテウスが、何度その落書きを消しても、数日後にはまた落書きが描かれる。

その日、プロメテウスは、落書き中の犯人を捕《つか》まえた。

プロメテウスの力によって、この犯人を消滅《しょうめつ》させることはたやすい。しかし、それではゼウスと同じだ。

プロメテウスは、落書き犯《はん》に言った。

「キミのこの作品に、1万円のギャラを払《はら》おう」

しかしプロメテウスは、
翌日には、その落書きを、きれいに消してしまった。
するとまた、犯人は、白い壁《かべ》に落書きをし、
その落書き（作品）に対して、プロメテウスは
1万円をギャラとして支払う……
というやりとりが、10回ほど続いた。
その日も、犯人が落書き中にプロメテウスが現れた。
しかし、それが、いつもより遅い時間だったため、
落書き犯は、少しイライラしている様子だった。
プロメテウスは、申《もう》し訳《わけ》なさそうな表情で告《つ》げた。
「本当にすまないことなんだが、クリニックの経営状況が
あまりよくなくて、もうキミの素晴らしい作品には、
ギャラが支払えないんだ」
すると、落書き犯は、吐《は》き捨《す》てるように言った。
「今日、ギャラの値上げ交渉《こうしょう》をしようと思ってたんだ。
ギャラももらえないのに、なんで俺が時間を割いて
作品を描かなきゃいけないんだ。もう終わりだ！」

第19話

損《そん》失《しつ》回《かい》避《ひ》の法則

オリュンポスの神々は、「人間」を評して、こう言った。

「人間は、損《そん》をすることをおそれ、チャレンジすることをしない、退屈《たいくつ》で臆病《おくびょう》な生き物だ」

プロメテウスは、それが本当なのか、確かめたくなった。

そして、1人の男の前に、赤いボタンと青いボタンを置いて、こう告《つ》げた。

「この赤いボタンは、『50％の確率で1000万が当たるけど、50％の確率で100万円が奪《うば》われるボタン』。青いボタンは、『50％の確率で10万が当たり、50％の確率で0円が当たるボタン』――つまり、お金が減ることはない。どちらを選ぶ？」

そう問われた男は、迷《まよ》うことなく、青いボタンを押した。

すると、男の目の前に10万円が現れた。

男は、小さな幸運に歓《かん》喜《き》していた。

10万円を手にして喜ぶ男の元から去ろうとするプロメテウスの前で、男が思わぬ行動をとった。
すごい勢いで、「青いボタン」を連打し始めたのだ。
当たる確率が50％なのだから、
すべての「押《お》し」に対応して
10万円がでているわけではないのだろうが、
いかんせん、1秒間に5回は押しているのではないか、
というような高速連打である。
「確率50％」など、どうでもいいことなのだろう、
男の目の前には、みるみる札束があふれていった。
そして、たまに赤いボタンも押す。
――たしかに、「ボタンは1回しか押せない」とは言わなかったが……。

人間は、「臆病《おくびょう》な生き物」であることは間違いないかもしれない。しかし、同時に、「たくましさ」ももっているのかもしれないと、プロメテウスは思った。

人間は臆病《おくびょう》だけど、弱い生き物ではないようだ

第20話

ザイオンス効果（単純接触《たんじゅんせっしょく》の原理）

大手企業のY社で働く男が、先輩社員に相談していた。

「『一目ぼれ』っていうやつだと思います。同じオフィスビルで働いているのは知っているんですが、名前も知りません。どうすれば、いいんでしょう？」

先輩社員は、言った。

「その女性の行動パターンを調べて、偶然《ぐうぜん》に出会う回数を増やすんだ。『ザイオンス効果』って知ってるか？たまたまでも、相手と接触《せっしょく》する機会が増えると、相手の中で、好感度が高まっていくんだ。もちろん、相手が気づかないと意味ないから、道を聞いたりして、相手に意識させないとダメだと思うけどな……」

そのとき、男の携帯《けいたい》が鳴った。

「すみません！　急な仕事みたいで。また今度……」

すみません……
いいよ、いいよ。
また今度、ゆっくりアドバイスするよ

それから1ヵ月後――。

後輩社員が先輩社員に、食ってかかっていた。

「先輩のアドバイス通り、偶然《ぐうぜん》を装《よそお》って、
あの女性に、何度も接触《せっしょく》しているんですけど、
むしろ避《さ》けられている気がしますよ！」

「えっ、もう作戦を決行しちゃってるの？
あのあと話すつもりだったんだけど、
『ザイオンス効果』って、続きがあるんだよ。
ザイオンス効果で印象がよくなるのは、10回までなんだ。
それ以上続けても、効果はほぼなくなる。
それに、相手に認識されてない段階だと印象はよくなるけど、
過剰《かじょう》に接触が増えて、相手に嫌悪感《けんおかん》を抱《いだ》かれると、
接触回数が増えるごとに嫌悪感も増すんだ。
だって、それ、相手から見たら、
ストーカーみたいなもんだもんな。
そのことを注意したかったんだけど、
ほらお前、仕事で呼び出されて、行っちゃったから……」

第21話

バーダー・マインホフ現象（頻度錯覚《ひんどさっかく》）

2人の女性社員が、オフィスビルの中にあるカフェで、雑談《ざつだん》をしていた。

ショートカットの女性社員が、不思議そうに言った。

「この頃、Y社の同じ男性社員の人を、ちょくちょく見かけるの。

エレベーターに乗っているとき、軽く挨拶《あいさつ》したこともあるんだけど、雰囲気《ふんいき》も見た目も、割とタイプなのよね。

私、無意識で、その人のこと、気になってんのかな？」

尋《たず》ねられた同僚《どうりょう》社員が尋ね返した。

「Y社？　なんで、Y社の人ってわかるの？」

「だって、胸元に、あの目立つ、『Yマーク』の社章をつけているもの。

あれがY社の社章だってこと、この前、あなたが教えてくれたのよ」

同僚《どうりょう》社員は、社章の話を聞いて、少し考えたのち、こう説明した。
「新しい恋の予感にトキメキそうなところ申《もう》し訳《わけ》ないけど、
それ、『バーダー・マインホフ現象』ってやつだよ」
「なにその、『バーダーなんとか』って？」
「たとえば、今まで知らなかったアーティストのことを
何かのきっかけで知って
意識するようになったとするじゃない。
そうすると、特に露出《ろしゅつ》が増えたわけでなくても、
そのあと、頻繁《ひんぱん》にそのアーティストのことを、
目にしたり、耳にしたりする気になるって現象。
この前、私が、Y社の社章のことを話したから、
あなたは、はじめて、そのことを知ったわけじゃない。
それで気になりだしたんだよ。
今までだって、目に入ってたに違いないんだけどね」
それを聞いて、ショートカットの女子社員は、
少しだけ残念そうな表情をした。
「なんだ錯覚《さっかく》か。恋の予感だと思っちゃった」

あやうく、錯覚《さっかく》に騙《だま》されるところだった
恋のきっかけなんて、ほとんどが錯覚なんじゃないのかな

第22話
コントロール幻《げん》想《そう》

「全部、私の『能力』のせいなんです。
この前、ちょっとしたことで彼とケンカして、
それで、私、『事故にでも遭《あ》えばいいのに』って
思っちゃったんです。そしたら、本当に事故にあって…」
ひどく気に病《や》んでいたのだろう。
女はやつれた青白い顔で、カウンセリングに来た。
呪術《じゅじゅつ》や魔法の能力などない、「ただの人間」だ。
「人間は偶然《ぐうぜん》起きたことを、さも自分が
コントロールしたと考える『思考のクセ』があります。
たまたま大切なイベントのときに、雨天が重なったのを、
『自分が雨女だから……』と考えたりね。
しかし、そんな能力は人間にありません。
断言しますが、ただの勘違《かんちが》いです。気にしすぎです」
少し呆《あき》れながら、プロメテウスは彼女を諭《さと》した。

たいした能力もないくせに、
人間は変なところで
自分の力を過信する。
おかしなものだ

足にギブスをし、松葉杖《まつばづえ》をついた男が相談に来たのは、女が来てから数日後のことだった。

「全部、俺の『能力』のせいなんです。ちょっとしたことで、彼女とケンカして、それで、俺、『病気にでもなってしまえ』って、思っちゃったんです。そしたら、彼女、本当に体調を崩《くず》してしまったみたいで、最近、ずっと青白い顔をしていて……」

プロメテウスは男に尋《たず》ねた。

「なるほど、ところで、その足は?」

「彼女を怒らせてしまったことを思い出したら、自然と涙《なみだ》がでてきちゃって……。視界《しかい》がぼけたまま車道を渡ろうとして、車に……」

少し照れながら話す男を見て、プロメテウスは、笑った。

「魔法を使えるわけではなかったが、まさか、本当に彼女が原因だったとは……」

いや、失礼。
人間というものは、私が考えていたより、周囲に悪影響《あくえいきょう》を与《あた》える力がずっとあるのだなと思ったもので……

第23話

スタンフォードの監《かん》獄《ごく》実《じっ》験《けん》

20世紀のアメリカの大学で、ある心理実験が行われた。

それは被験者《ひけんしゃ》役となった学生に、「看守《かんしゅ》」と「囚人《しゅうじん》」の役割を与《あた》えて、それを観察するというものである。


実験がはじまると、囚人役はだんだんと反抗的《はんこうてき》に、看守役はしだいに高圧的に囚人に接するようになった。

そして、看守役の行動はいっそうエスカレートし、それが与えられた「役」であることも忘れ、囚人役に暴力《ぼうりょく》や残虐《ざんぎゃく》な罰《ばつ》を与《あた》えるようになっていった。

囚人役の中には、自分が本当の囚人になったように錯覚《さっかく》し、体調や精神に変調をきたす者も現れた。

こうして心理実験は、途中で打ち切られた。

人間は、与えられた環境や役割によって、
ときには、他人に対して残酷《ざんこく》にふるまうこともある――。

あの「心理実験」のあと、「看守役《かんしゅやく》」になった学生たちが、実験を指導《しどう》したのとは違う教授の部屋に呼《よ》び出《だ》された。

「実験の責任は、あの教授にある。

しかし、実際に残酷《ざんこく》な行為を行ったのは、君たちだ。

心理実験の影響《えいきょう》を受けてしまったとはいえ、なぜそんなことができるんだ？　君たちには、本学の学生である資格はない。今すぐに、この大学から出ていきたまえ！

いや、この大学だけではない。自由を愛するこの国にも、君たちの居場所はない。すぐに出て行け！」

教授は、大きな声で、学生たちに罵声《ばせい》を浴《あ》びせた。

「もういい。終了だ！」

部屋の隅《すみ》から、冷たい声が響《ひび》く。

その声の主は、教授に向かって言った。

「君はあの実験から何を学んだんだ。教授役を演じさせたら、とたんにそんな高圧《こうあつ》的《てき》な態度で学生に命令するなんて、看守役を演じた学生と同じじゃないか！」

それに、そもそも、
教授役を演じさせたら、
そんな高圧的になるなんて、
我々《われわれ》「教授」は、
君たちにとって、
そんなイメージなのか？

第24話

パーキンソンの法則

メタバース空間を舞台にしたそのゲームは、1人の天才クリエイター、ベンの想像力から開発がスタートした。だが、ベンには、ゲームを作る以外、何の能力もない。もちろん、会社を経営《けいえい》する能力も。

それを補《おぎな》ったのが、共同経営者のサムである。

「ベン、12月31日までに完成させないと、これまでの苦労はすべて無駄《むだ》になるぞ！」

「あと1週間しかない。せめて、あと1ヵ月、それだけあれば、このゲームは完璧《かんぺき》になるんだ。俺は、伝説になるゲームを創《つく》りたい!!」

サムは、関係各所に頭を下げ、納品を待ってもらう了承を得た。

「あと3ヵ月待ってもらえることになった。

ベン、100%じゃない。120%のゲームを創ろう！」

予算をもっと増やしたい。それでゲームの処理速度が格段に上がるんだ
これ以上は無理だ――なんて言えないよな、お前の情熱を見たら。
お金のことは、俺にまかせろ！

――3ヵ月後。

「あと1ヵ月でできるって、言っただろ！」

顔を紅潮《こうちょう》させたサムが怒鳴《どな》る。ベンは平然と言い放つ。

「それは、『完璧《かんぺき》』の話だろ？
あと2ヵ月、いやあと1ヵ月あれば、
このゲームは『超完璧』になるんだ。
何とかならないかな？
そもそも、お前が120％なんて言うから……。
それと、もう予算を使い切った。
そっちも何とかしてほしいんだけど」

【パーキンソンの法則】

第一法則：仕事の量は、完成のために与《あた》えられた時間をすべて使い切るまで膨張《ぼうちょう》する。

第二法則：（お金の）支出の額は、収入の額に達するまで膨張する。

お前は、「限界まで膨張」どころか、限界を突破《とっぱ》して破裂《はれつ》してるよ！

第25話

パーキンソンの凡俗《ぼんぞく》法則

会議室では、サムとベンが、
ゲームの方向性について、激論《げきろん》を交わしていた。
それにつられるように、他の社員たちも、
それぞれ自分の見解を遠慮《えんりょ》することなく述べる。
ベンが、少しあきれたような口調で言う。
「もう一度言うが、今、俺が迷《まよ》っているのは
このゲームの根幹《こんかん》、いや存在意義にかかわることなんだ。
このシステムを搭載《とうさい》するかで、
このゲームをプレイする人々の価値観、人生観は、
大きく変わるはずだ。そんなことは、
専門家じゃなくてもわかるだろう」
そして、ベンは、そのシステムの詳細《しょうさい》と、
その社会的影響《えいきょう》について、三度目の説明をはじめた。

人々の価値観だけじゃなく、
ヘタをすると、
国の政治体制だって
変わるかもしれない。
それだけ大事なことだと
わかってほしいんだが…

ベンの三度目となる説明に待ったをかけたのはサムだった。

「価値観？　人生観？　社会的な影響《えいきょう》？

ベン、今は、そんなことはどうだっていいんだよ。

今、俺が、そして皆が気になってしょうがないのは、ゲームの主人公が着ているシャツの柄《がら》なんだ。

イケメン設定の主人公が、あんな柄のシャツを着るか？

絶対におかしいだろ？」

そして、他の社員たちも、深くうなずき、シャツの柄についての激論が再開される。

ベンは、心の中で思った。

「ゲームの開発が遅《おく》れているのって、俺だけのせいなのかな……？」

［パーキンソンの凡俗《ぼんぞく》法則］
組織は、どうでもいい些細《ささい》な物事に対して、不釣《ふつ》り合《あ》いなほどに重きを置く。

シャツの柄なんて、このゲームの中で、いちばんどうでもいいことだよ
開発が遅《おく》れている理由は、俺だけじゃない

第26話

アビリーンのパラドックス

家族の仲のよさが、その男の自慢《じまん》だった。
妻、高校生の娘、中学生の息子、そして自分。
子どもがグレたり、夫婦がいがみ合うこともない。
家族の誰かが嫌《いや》がることを無理強《むりじ》いすることもない。
——俺たち家族は、心が通じ合っている。
最後にケンカをしたのがいつかもわからないほどだ。
休みの日、家族全員で出かけることも珍《めずら》しくない。
その日も、男は家族と遊園地に来ていた。
また家族の思い出に楽しい1ページが増える——
はずだったが、多すぎる人に、設備の不具合、
ろくに乗り物にも乗れず、最低な1日になってしまった。
「せっかくお前が来たがっていたから来たのに、
全然楽しめなかったな。ごめんな」
男はすまなそうに、息子に言った。

息子は驚《おどろ》いたように言った。

「僕は別にそんなに興味なかったよ。でも、姉ちゃんが楽しみにしてたから……」

「え？　私だって別に来たかったわけじゃないわ。でも、母さんがすごく張り切ってたから……」

「何言ってるのよ。私だって、もともと遊園地はそんなに好きじゃないわ。でも、お父さんが……」

家族が口々に言いだして、男はうろたえた。

「いや、俺だって混むのはわかってたから、もし他の場所でよかったなら――っていうことは、俺たち誰も望んでいないのに、この遊園地に来たってことか？」

家族が遠慮《えんりょ》しあって、みんな本音を言わずにいた。

それを知って、男は絶句《ぜっく》した。

確かにケンカをせず、ぶつかり合うこともない。

だが、それが本当に仲のいい心の通じ合った家族と言えるのか――男には、その答えはわからなかった。

第27話

クリプトムネジア現象

ある有名ミュージシャンのヒット曲に、盗作疑惑《とうさくぎわく》が浮上《ふじょう》した。あまり有名ではないロックバンドの曲と、あまりにも酷似《こくじ》していたのだ。

「そのロックバンドの曲を知らなかった」

有名ミュージシャンは強く主張した。

しかし、彼が以前出演したラジオ番組で、その曲がオンエアされていたことがわかった。

彼は、そこで聴いたことをすっかり忘れて、頭に浮《う》かんだフレーズを自分がひらめいたものと思い込んでしまっていたのだ。

彼はすべてを認め謝罪《しゃざい》したが、批判《ひはん》はやまなかった。

「忘れていたなんて、言《い》い訳《わけ》にもならない！」

世間を味方に、ロックバンドは彼を痛烈《つうれつ》に批判《ひはん》した。

世間は、曲を奪《うば》われたロックバンドの味方だった。
しかし、ある事実が判明《はんめい》し、状況は一変した。
なんとそのロックバンドの曲にそっくりな、
もっと古い外国の曲が見つかったのだ。
彼らもどこかで聴いたことを忘れて、
自分でひらめいた曲と思い込んでいたのだろう。
「聴いたことがない」という言《い》い訳《わけ》は通じなかった。
その言い訳を、彼ら自身が批判《ひはん》してきたからだ。
今度は彼らが批判にさらされた。

――しかし、プロメテウスは知っていた。
その「古い外国の曲」も、
オリジナルではないということを。
同じメロディーを、ギリシアのミューズたちが、
あの頃、すでに口ずさんでいたのだから。
創造《そうぞう》とは、しばしば模倣《もほう》から始まるが、
人は、自分のオリジナリティを過信してしまう。

第28話

インポスターシンドローム

その女性作家の膨大《ぼうだい》な作品群は、遺族《いぞく》が原稿《げんこう》を出版社に持ち込んだことをきっかけに、はじめて世に出ることになった。

作品を読んだプロメテウスはうなった。

「なぜ、こんなにも素晴らしい作品が、今まで発表されなかったんだろう?」

その女性作家は、若いときに発表した第一作が、とある文学賞の「佳作《かさく》」となったが、それ以降は、文芸界からは消えていたのだ。

すべての謎《なぞ》の真相は、作品群に続いて女性作家の机《つくえ》の中から発見された、何年にもわたってつづられていた「日記」に記されていた。

日記には、こんな内容のことが書かれていた。

「はじめて小説が、文学賞の佳作《かさく》になったけど、審査員《しんさいん》の『私も猫《ねこ》が好きだから、この作品の猫の描写には好感がもてる』という選評を読んで、自分は、運がいいだけの人間だということがわかった」

彼女が、作品を発表しなかった理由についても——。

「私の頭には、次々に、小説のアイデアがわいてくる。でも、それは、私に才能があるからなんだろうか。もしかしたら、過去に読んだ誰かの作品のアイデアが記憶《きおく》に残っていて、自分で思いついたと思っているだけなんじゃないだろうか？

作品を発表したとたん、誰かから『盗作《とうさく》』と言われるのが怖《こわ》くて、作品を発表できない……」

そんな、女性作家の、あまりにも自己否定的な日記を読んで、プロメテウスはつぶやいた。

「ありあまるほどの才能があるのに、その才能を自分自身が信じられないことほど、不幸なことはないな」

たまたま、猫好きの
審査員だったから、
私の作品は
佳作に選ばれたんだ。
小説のアイデアは浮《う》かぶのに、
私には、才能がない……

第29話

カリギュラ効果

ある少年が夏休みに、田舎《いなか》の祖父母《そふぼ》の家へ遊びに来た。
祖父母の家は、自然に囲《かこ》まれた、とても素敵《すてき》な場所で、
少年は1日中、野山を駆《か》けまわって夏休みを楽しんだ。
祖父母も、とても優しく、「この家にあるものは、
自由に使っていい」と言ってくれた。
しかし、ただ一つだけ、祖父に注意されたことがあった。
「書斎の中にだけは入ってはならん。特に、本棚《ほんだな》の、
いちばん上の段の本だけは、絶対に読んではいかん」
少年は、自然の中で遊びつつも、
祖父が言った言葉が気になってしょうがなかった。
そして、祖父母が買い物で留守《るす》にしているとき、
本棚の上段に置かれた本をこっそり持ち出して、
その夜から、自室で少しずつ読み出した。

翌日《よくじつ》から、少年の祖父母の家での生活は一変した。

毎日、朝から晩《ばん》まで、虫捕《むしと》りや魚釣《さかなつ》りを楽しんでいたのに、部屋にこもったきり、外にはでなくなった。

食事もほとんど食べなくなり、顔色も、みるみる不健康そうになっていった。


ある日の夜、少年の母親から、祖母の元へ電話が入った。

「あの子、元気にしてる？　1週間前まで、毎日何度も、虫とか魚とかの写真が送られてきたのに、この頃は、電話も、メッセージも送られてこなくて……」

祖母は、少し心配そうな声で言った。

「ちょっと心配ね。作戦が的中しすぎて……。あなたが言うとおり、『書斎《しょさい》の本を読んじゃいけない』って言ったら、あの子、好奇心《こうきしん》がそそられて、まんまと読書するようになったのよ。人間、『ダメ』って言われると、余計にやりたくなっちゃうものなのね。でも、読書に夢中になりすぎて、外にも出なくなったわ」

あなたが望んでたのって
感想文を書くために、
本を読むくらいのことでしょ？
なんかもう、
どっぷり本に
はまっちゃっているわよ。
本ばっかり読むようになって、
自然の中で遊ばなくなっても
知らないわよ!!

第30話

心理的リアクタンス

「世界の警察《けいさつ》」を自称《じしょう》する某国《ぼうこく》の大統領が、
全世界に影響《えいきょう》を与《あた》える決断をしようとしていた。
それは、隣国《りんごく》に突如《とつじょ》として軍事侵攻《ぐんじしんこう》したA国を攻撃《こうげき》し、
軍事侵攻をやめさせようという決断だ。
某国国内では、「平和的解決のための話し合いをすべき」や、
「静観《せいかん》すべき」など、さまざまな意見もあった。
大統領は、ずっと一人静かに考えていた。
「私はこれまで、誰に何を言われても、自分を信じて
最後は、自分の考えで決断してきた……」
そして、「A国への武力攻撃」を決めたのだ。
大統領は、国民の反応を知るために、
マスコミを使って、あえて、
「武力による介入《かいにゅう》に舵《かじ》をきりそうだ」とリークさせた。
すると、国民の間で、猛反発《もうはんぱつ》、抗議《こうぎ》が起こりはじめた。

しかし、その猛抗議《もうこうぎ》の内容は、
大統領《だいとうりょう》が予想したものとは、まったく違うものだった。
「軟弱《なんじゃく》大統領は、なにをためらっているんだ。
今、この瞬間《しゅんかん》にも、ミサイル攻撃《こうげき》の指示を出せ！」
「長い期間考えて、結局出した結論が、
我々《われわれ》が最初から主張していた『武力攻撃』とは……」
それらの世論を聞いて、大統領は激怒《げきど》した。
「何の責任をとる覚悟《かくご》もない愚民《ぐみん》が、何を言っているんだ！」
そして、平和的解決のための国際会議を
開催《かいさい》する方向に国の方針を切り替えた。

某国内のとある場所に、抗議運動を主導《しゅどう》したメンバーが
集まって雑談《ざつだん》をしていた。
「人間って、『早くやれ！』と言われるほど、やる気が
なくなるものだけど、あの大統領、その傾向《けいこう》が顕著《けんちょ》すぎるな」
「そうそう、本当は世論に逆誘導《ぎゃくゆうどう》されているのに、自分では、
『すべて自分の考えで決めてきた』って思っているらしいぞ」

あれだけ、世論に反発ばかりしている人間は、逆《ぎゃく》に、すごく操《あやつ》りやすいよな
あんな単純《たんじゅん》な大統領なら、長く続けてほしいものだ

第31話

高所恐怖症《きょうふしょう》

某国《ぼうこく》の大統領《だいとうりょう》が自死をとげた、というニュースが流れた。
顔つきこそだいぶ変わっていたが、プロメテウスは、
彼がかつてクリニックに来た男だと気づいた。
あのとき、男は、「高所恐怖症を治してほしい」と言った。

「私が『怖《こわ》い』と感じる高い所は、物理的な『高さ』
だけではないんです。たとえば、責任ある立場とか、
組織で『高い地位』に昇《のぼ》っていくことも怖いんです」
プロメテウスは、彼にアドバイスをした。
「物理的に高いところで、下を見るから怖くなるんです。
常《つね》に上や遠いところを見るんです。組織でも同じです。
『自分は高いところにいる』なんて思わず、
常にもっと上を見続ける——もっと高いところがあると
思ってみてはどうでしょう?」

下を見てしまうと、
自分が高いところに
いるとわかって、
目まいがしてきます
でも、上だけを見ていれば——
もっと上があると思えば、
自分が高いところにいる
なんて思わないですよ

あのクリニックでアドバイスをもらってから、
常《つね》に上を見るようになった私は、
高いところ、高い地位にのぼることが怖《こわ》くなくなった。
起業した会社が成功し、財界で活躍《かつやく》したのち、
私は、さらに「上」を目指して、政界へと進出した。
そこでも、遠い未来を展望し、上を見上げ続けた。

その結果、私はこの超大国で、大統領《だいとうりょう》の座《ざ》に登りつめた。
それでも、「自分の中の高い理想」を掲《かか》げ、
自分の信念で決断している間は、「怖さ」はなかった。
しかし、先日、とある国家間の紛争《ふんそう》に対する
私の決断に抗議《こうぎ》する国民を見たとき、
彼らを「虫ケラのような愚民《ぐみん》」だと思ってしまった。
高い所から見下ろしたように、彼らが小さく見えた。
その瞬間《しゅんかん》、強烈《きょうれつ》な目まいに襲《おそ》われ、胃の中のものを吐《は》いた。
こんな高い所で生きていく勇気は、私にはなかった——。

第32話

ブーメラン効果

自分が言ったことが、よりひどい状況となって自分に返ってきてしまうことがある。

その少女は、日ごろから、母親の言動にイラついていた。

「さっさと宿題をやりなさい！」

「もうゲームはやめなさい！」

言われなくても、そうしようと思っていたのに、いざ、「あれをやれ」、「これをやめろ」と命令されると、とたんに、やる気がなくなってしまう。

「いつまで起きてるの。スマホいじるのやめて、さっさと寝《ね》なさい！」

ある日、少女はとうとう我慢《がまん》できずに言い返した。

「うるさい！　いちいち指図しないで！　言われなくたってちゃんとやるから！」

娘の語気に、母親は言葉を失った。

母親は言葉を失った
――しかし、それは一瞬《いっしゅん》だった。
「『うるさい』？『指図するな』？　ですって？
なんて生意気なこと言うの！
だいたいあなたは……ああ、もう！
さっきの一言でやめるつもりだったのに！」
それから長い長い説教が始まった。
娘が母親に放った、
「心理的リアクタンス」による一言が、
母親の「心理的リアクタンス」となって、
ブーメランのように、娘に戻《もど》ってきた。

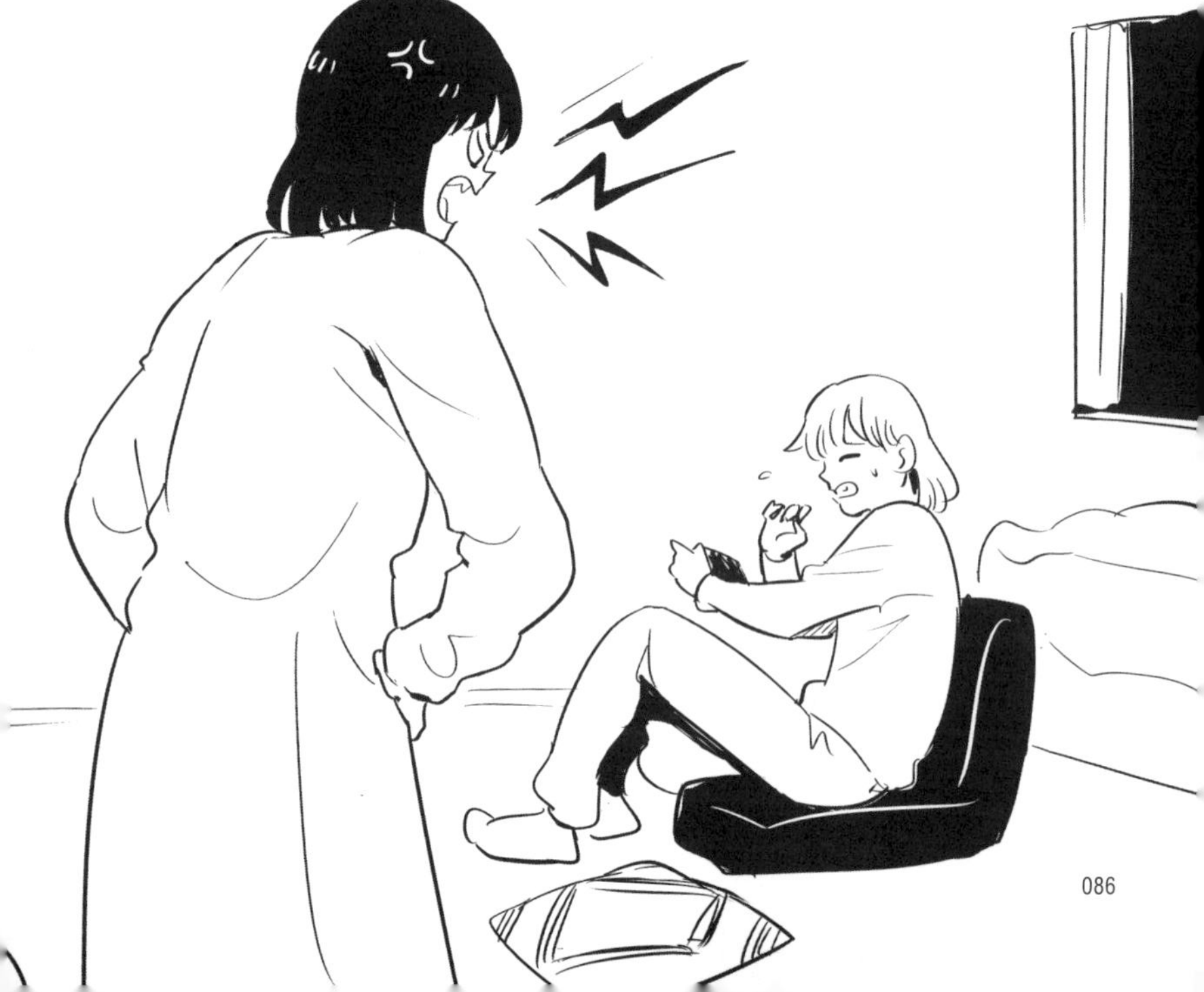

第33話

バンドワゴン効果

とある映像《えいぞう》制作《せいさく》会社に、町おこしの依頼《いらい》がきた。
その会社は、スクリーンやモニターではなく、
ふつうの生活空間の中に、リアルな立体映像を映し出す
技術で人気の会社で、依頼内容は、町の中に、
「立体映像恐竜園《きょうりゅうえん》」を作ってほしい、というものだった。
その恐竜園目当ての観光客が増え、
町中の飲食店も繁盛《はんじょう》する、と考えたようだ。
しかし、提示《ていじ》された予算は、恐竜1体の立体映像を
作るのがギリギリなほど少額なものだった。
映像制作会社は、町おこしに協力したいと考え、
いろいろな知恵を出し合った。そして、
「恐竜は作れないけど、この動物なら、
立体映像をたくさん作れます」
と提案《ていあん》し、町の活性化を成功させた。

映像《えいぞう》制作《せいさく》会社が提案《ていあん》し、制作した動物は、「人間」だった。
正確に言うと、「人間の行列」である。
町の中の、いろいろな店舗《てんぽ》に、
この立体映像の「人間」を並ばせた。
（立体映像ではない）人間には、行列があると、
ついつい並んでしまうクセや、行列ができているお店を
「美味《おい》しいお店」と考えてしまう思考のクセがあり、
それは、「バンドワゴン効果」と呼《よ》ばれている。
そうして、その町のお店には、
だんだんと本物の人間が並ぶようになった。
すると、映像会社は、今度は、行列だけではなく、
町中に「立体映像人間」を歩かせ始めた。
すると、賑《にぎ》わいのある町の様子は、
いろいろなニュースでも使われ、
それを観た視聴者《しちょうしゃ》に、「今度、あの町に行ってみたい」と
思わせることに成功したのである。

第34話

ゴーレム効果とピグマリオン効果

「息子のことで、ご相談したいんです」

目の前に座《すわ》った白人夫婦が、苦しそうに声を発した。

「息子は、授業中に花火をしたり、
先生のイスに爆弾《ばくだん》みたいなものをしかけて驚《おどろ》かせたりで、学校で問題児扱《あつか》いされています」

「やれやれ」という表情で、プロメテウスが聞く。

「で、息子さんの素行《そこう》を直したい、ということですか?」

「違います。息子は、自分の能力をもてあましているだけなんです。でも、先生たちは、そんな息子に何の期待も寄《よ》せてくれなくて、息子もそれを感じとって、ますます変な方向に行っている気がするんです……」

プロメテウスは、不安そうな夫婦を励《はげ》ますように言った。

「あなたがたが、曇《くも》りのない気持ちで、息子さんを信じて、期待されるのなら心配はいりませんよ……」

あなたがたと同じように、息子さんの才能に期待する教師を探して、
その教師に、息子さんを委《ゆだ》ねるべきです

「『ゴーレム効果』と『ピグマリオン効果』というものがあります。前者は、『他人から期待されなくなると、やる気はどんどん失われ、能力を発揮《はっき》しなくなる』こと。一方、後者は、『他人、特に教師らが期待をかけることで、やる気が引き出され、能力を発揮するようになること』です。あなたがたと教師が、息子さんに正しく期待をすれば、息子さんは、正しい方向に能力を伸《の》ばせるはずです」

それを聞いた父親が、疑《うたが》うような表情で問いかける。

「『ピグマリオン』って、ギリシア神話の『命を与《あた》えられた人形』の話ですよね？　期待するだけで、息子が、そんな『いい子ちゃん人形』みたいになりますかね？」

プロメテウスは、にっこり笑うと、自信に満ちた声で言った。

「心配しなくても大丈夫《だいじょうぶ》ですよ、ジョブズさん」

そして、立ち上がって部屋をでていこうとする夫婦の背中《せなか》に追いかけるように声をかけた。

「息子さん――スティーブくんに、『キミは、絶対に将来、社会を変えるような人物になるから』とお伝えください」

ジョブズさん
息子さん――
スティーブくんに、
「キミは、
社会を変える人になる」
と伝えてください
?

第35話

サンプルサイズの無視《むし》

とある病院の入院患者《かんじゃ》が、手術を受けることになった。
しかし、手術の執刀医《しっとうい》は若い医師で、
患者は、そのことを嫌《いや》がった。
——信用できない医師に、自分の身体にメスを
入れさせるなんて、たまったものではない。
「執刀医を変えてほしい」と譲《ゆず》らない患者に、
ベテランの医師が丁寧《ていねい》な口調で説明する。
「彼は、若く見えますが、当病院のエースで、
非常に優秀な医師なのです。
彼が、これまで担当した手術の成功率は100%!
当然ながら、当病院でも最高の実績です」
それを聞いた患者は、ようやく安心した様子で、
若い医師の執刀を受け入れた。

「あんなこと言ってよかったんでしょうか？」
病室を出た直後、若い医師が尋《たず》ねた。
「病院のエースだとか、最高の実績とかって。
そもそも僕は、まだ1回しか、
手術で執刀《しっとう》したことがないんですよ？」
ベテランの医師は、笑って答えた。
「その1回に失敗せず成功してるんだから、
成功率100％は、嘘《うそ》じゃないだろう。
100％だったら、それは最高の実績だろ？
患者《かんじゃ》を安心させるのも、医師の仕事だ。
人間は、数値さえ言われれば、安心するものさ。
それが、どうやって計算されたかなんて気にせず、
その数字だけを信じてしまう。
それに、キミが『この病院のエース』ってのは、
間違いじゃないさ。ただしそれは、
キミが患者から逃《に》げず、正面から向き合って、
いろいろな経験を積んだ、少し未来の話だけどな」

誠実《せいじつ》でありたいなら、
100％が
嘘《うそ》にならないよう、
全身全霊《ぜんしんぜんれい》で手術に
のぞむことだ

第36話
バーナム効果

問題解決を目的とする、最新バージョンの会話型AIがリリースされることが発表された。

それは、VRキャラが、「あらゆる人の悩《なや》み相談に答える」という触《ふ》れ込みのものだったのだが、リリース前から、ネット上には、否定的《ひていてき》な意見が多数投稿《とうこう》された。

「どうせ『バーナム効果』を応用したものでしょうよ。AIが、ビッグデータを分析《ぶんせき》して、それぞれの質問に対応した、誰にでも当てはまりそうな、平均的かつ曖昧《あいまい》なアドバイスをするだけに違いないよ」

しかし、実際にサービスが始まると、その「悩み相談AI」に対しては、多くの人からの絶賛の声が相次《あいつ》いだ。

そのバーナム効果って何？
AI
占い師が、「あなた悩みがありますね」っていう、あれだよ。誰にでも当てはまることを、自分だけに当てはまる、と思い込んでしまう心理現象のこと

しかし、実際には、その開発会社が
ＡＩで組んだプログラムは、
多くの人々が予想した、
「バーナム効果」を応用したものだった。
人々の相談内容を、蓄積《ちくせき》していたデータと照合し、
それに対するアドバイスを、
あまり個別な状況を盛り込まない表現で行うのだ。
——おそらく、その手法は、すぐにネタバレし、
飽《あ》きられてしまうだろう。
そう思った開発チームは、ＶＲキャラに、
アドバイス中に、脈絡《みゃくらく》なく感情を込めて、
次のようなセリフを言わせるよう、
プログラムを組んだのである。

「〇〇さん……頑張ってるんだね」

鈴木さん……
頑張ってるんだね。
誰も言わないかも
しれないけど、
みんなそのことは
知ってるよ

第37話

コントラフリーローディング効果

それは、知る人ぞ知るラーメン屋だった。

都会から遠く離れた、地方の山間にあって、車で近くまで行き、山道を歩かなければ、たどりつくことはできなかった。

しかし、苦労してでも訪れる価値はあるという。

「世界で一番うまい店」にあげる者もいる。

「あぁ、もっと気軽に、この味を食べられたらなぁ……」

そんな声も少なくなかった。署名《しょめい》運動も起こった。

そして、とうとう店主が決断をした。

「もっとたくさんの人に、
自分のラーメンを楽しんでもらいたい」と思って、
人の多い都市部へ、店を移転したのだ。

常連客《じょうれんきゃく》や、噂《うわさ》を聞いた新規客が詰《つ》めかけ、
店は連日満員となった。

しかし、1ヵ月後、店には閑古鳥《かんこどり》が鳴いていた。
「移転して、味が落ちた」
「都会に進出してから、手を抜き始めた」
という悪評《あくひょう》も立ったが、実は、店主は、
材料も作り方も、何一つ変えてはいなかった。
もちろん、「手抜き」などはしているはずもない。
ただ一つ違っていたのは、
そのラーメンを食べるために、お客に、
「どれだけ苦労が必要か」ということだけだった。
「いつでも食べられると、なんだか、
たいして美味《おい》しく感じなくなっちゃったよ」
「あの山奥に食べに行っていたときは、こんな
美味しいラーメンはないって感じたんだけどなぁ……」
人は簡単に手に入れたものよりも、
苦労して手に入れたものに強い価値を感じる。
その店のラーメンはまさに、食べるための
「苦労」を隠《かく》し味《あじ》にしたラーメンだったのだ。

第38話

エントロピー増大の法則

「『エントロピー増大の法則』を知ってる?」

皮肉な笑いを浮《う》かべた男が、眼鏡《めがね》を上げて言った。

「エントロピーというのは、無秩序《むちつじょ》の度合いのことで、すべての物事は、必ず秩序が保たれた状態から、拡散《かくさん》し、無秩序な状態へと向かうんだよ」

女のイライラした表情を気にすることなく、男は続けた。

「わかりやすい例で言おう。

たとえば、コーヒーにミルクを注ぐとしよう。

最初、コーヒーの中で分離していたミルクも、だんだんとコーヒーの中に溶《と》けて拡散する。

それがふたたび、コーヒーとミルクに分かれることはないだろ?

この法則は、もっとも重要な自然法則なんだよ。

人間の組織も同じさ。最初、秩序を保っていた組織も、しだいに無秩序へと向かい……」

キミは、まさか、「エントロピー増大の法則」を知らないのか?

ドン！　と机《つくえ》を叩《たた》いたのは女だった。
女が、怒りの表情を隠《かく》すことなく男に向けて言った。
「人間の組織が無秩序《むちつじょ》に向かう？
誰が、そんなことを聞いた？
私が聞いているのは、
なんで、私が何度も何度も片づけているのに、
すぐに、こんなに部屋が汚《きたな》く散らかるのかってことよ！
まさか、部屋が汚く無秩序化するのは、
そのエントロピーが何とかって
言いたいわけじゃ、ないわよね？
だって部屋が散らかったのは、
『自然に』じゃなくて、
あなたが人為的《じんいてき》にしたことだものね!?」

第39話

額面効果《がくめん》

閑古鳥《かんこどり》が鳴く、うらさびれたスーパーに、
ある装置が導入《どうにゅう》された。
すると、そのスーパーの売り上げは急上昇《きゅうじょうしょう》し、
10年後には、全国に数百店舗《てんぽ》を展開する、
一大チェーン店へと成長した。

10年前に、スーパーに装置を導入したアルバイト
——今では、グループの総帥《そうすい》を務める男が、
嬉《うれ》しさ半分、あきれ半分といった表情で言った。
「こんな装置ひとつで、ここまで成功するんだから、
人間なんて、複雑に見えて、単純だよな」

男は、レジカウンターに、
シンプルな機械を導入《どうにゅう》した。
それは、硬貨《こうか》を入れてスイッチを押《お》すと、
「20分の1の確率で、入れた金額が10倍になる」
というだけのものだった。
『額面効果』っていうんだっけ。
人間は大きな額の紙幣《しへい》だと、すぐには使わないけど、
小銭《こぜに》を手にすると、気軽にお金を使うから、
レジカウンターに置いておけば、結構な確率で、
この装置に釣《つ》り銭《せん》の小銭を入れるんだよな」
そして、今度は、意地の悪い笑顔を浮かべて言った。
「それに『10倍』が当たった場合でも、
払《はら》い戻《もど》されるお金を、すべて小銭にしたのも正解だった。
小銭を持つのが嫌《いや》だから、レジ横の商品や、
店内でまた買い物してくれるからな」

第40話

エンダウド・プログレス効果

仕事を失い、日々の食事にも困《こま》っている男が、
道端《みちばた》で、とあるカードを拾った。
それは、スーパーのポイントカードのようで、
裏面《うらめん》を見ると、店のスタンプが、
ほぼすべての欄《らん》に押されている。記名欄などもない。
あと1つスタンプを押してもらえば、
スタンプ欄がすべて埋《う》まり、
500円の買い物券がもらえるようだ。
少し離《はな》れた場所であったが、男はそのスーパーに足を運んで
買い物をし、「買い物券」をゲットした。
帰り際に、ふと掲示板《けいじばん》を見ると、
「アルバイト募集《ぼしゅう》」の張り紙があり、
男はさっそく面接を受け、採用《さいよう》してもらうこともできた。

翌日、男はスーパーに出勤《しゅっきん》し、仕事の講習を受けた。
そして、与《あた》えられた仕事は「チラシ配り」、
正確に言うと「カード配り」、もっと正確に言うと
「カード落とし」――スタンプが押されたカードを、
いろいろな道端《みちばた》に落としてくる仕事だった。

仕事の説明をするスーパーの社員が言った。
「いいですか、この仕事の目的は、
新規《しんき》のお客様を、このスーパーに呼《よ》び寄《よ》せることです。
単に『500円割引』というセールをやっても、
この店に来てくれないことには、そのことは伝わりません。
このスタンプが押されたカードは、
『あと1つスタンプを押せばゴール』と言う演出で、
お客様を、このスーパーに呼び寄せることができるんです!
ゴールに向かって前進しているとき、
あるいは、ゴールが見えていると、
人間は、やる気が上がるものなんです!」

第41話

スパイト行動

あるスーパーで撮影《さつえい》された動画が、大炎上《だいえんじょう》した。
そのスーパーの店員が、閉店後に、
売り場の食べ物を開封《かいふう》して味見したり、
調味料を入れて味変させてニヤニヤ笑っている動画だ。
動画は一気に拡散《かくさん》し、テレビのニュースでも
取り上げられる事態となった。
「世界中に顔がさらされて、
これから先、この人は、どうするんだろ？」
「こんな動画、自分が損《そん》するだけなのに、
何で撮影《さつえい》したり、公開するんだろうね」
そんな呆《あき》れた感想が、いくつもささやかれた。

「よくもやってくれたな……。

せっかくの本社栄転《えいてん》の話も、すべて台無しだ！」

動画を見ながら、苦々しい表情で店長が言った。

その店長は、「売り上げの悪い店舗《てんぽ》の実績をV字回復させた」という理由で、出世が決まっていた。

しかし、その「V字回復」の裏《うら》には、店員たちへのサービス残業の強制《きょうせい》、過剰《かじょう》な罰則《ばっそく》主義など、数多くのパワハラが潜《ひそ》んでいた。

自分の出世のために、店員たちを犠牲《ぎせい》にして店舗の業績を上げた、というのが真相だったのだ。

結局、監督《かんとく》不行届《ふゆきとどき》を理由に、栄転どころか、店長は、左遷《させん》されることになった。

「僕たちの訴《うった》えもすべて握《にぎ》りつぶして、自分だけ出世するなんて、そんなこと許《ゆる》しませんよ」

自分が犯罪者《はんざいしゃ》になる可能性さえあるのに、店長の出世をつぶしたことに成功した店員の顔は、心底嬉《うれ》しそうだった。

あの店長が、本社に栄転してくれれば、この店からいなくなってくれるんだから、それで満足しようよ
冗談《じょうだん》じゃない、あの店長が幸せになることは、絶対に許《ゆる》せない
その結果、俺は、自分がどんなに不幸になったとしても、構《かま》わない！

第42話
類《るい》似《じ》性《せい》の法則

あまり女性と接することがないまま社会人になった男が、
会社に入り、ある女性が気になるようになった。
自分とどこか似《に》たような雰囲気《ふんいき》があるのだ。
彼女ともっと親しくなりたいと考えた男は、
同僚《どうりょう》にアドバイスを求めた。
「たぶんお前が彼女に親近感がわいたのは、
『類似性の法則』というやつだな。
人間、何かしらの共通点があると、
うちとけやすくなるし、急に親近感がわくんだよ。
だから、お前が彼女ともっと距離《きょり》を縮めたいなら、
出身地や趣味《しゅみ》の共通項を探して、そこから話を広げて、
彼女にも親近感を覚えてもらうのが
いいんじゃないかな。まずは共通項探しだ、頑張《がんば》れ！」

男は、同僚《どうりょう》のアドバイスにしたがい、
彼女に話しかけた。

「春川さんって、もしかして、出身は九州じゃない？」

「いえ、違いますよ」

「趣味《しゅみ》はゴルフって聞いたけど、本当？」

「スポーツ全般《ぜんぱん》が苦手で、音楽のほうが好きです」

「あー、クラシックが好きなんだっけ？」

「全然。音楽の授業みたいなのは、ちょっと……」

それを聞いた男は、うれしそうに目を輝《かがや》かせて言った。

「えー、そうなんだ。すっごい奇遇《きぐう》だね。

僕も、出身は九州じゃないし、ゴルフだってやったことない。

体育の成績は、学校時代はずっと『1』だった。

それに、クラシックも、眠《ねむ》くなるから大嫌《だいきら》い。

こんなに共通項がある人がいるなんて、
本当に奇遇——というか、奇跡《きせき》だよ！」

もしかして、今日の夜、暇《ひま》じゃない？
えっ、予定が入ってる？あー、それも奇遇《きぐう》だね。
実は俺も予定が入ってるんだ。食事に誘《さそ》えなくて、ごめんね

第43話

ゼロサムバイアス

商社に勤《つと》めるその男には、数多くの同僚《どうりょう》がいたが、1人、「ライバル」と呼《よ》べる人間がいた。

男と同期で入社した友人だ。

同期入社なのに、プロジェクトを任せられるのも、出世が速いのも、いつもライバルのほうだ。

「俺とあいつに能力の差なんてないのに、いつも、あいつばかりが評価される。あいつは給料も多くもらって、その分、俺の給料がマイナスされている。あまりにも理不尽《りふじん》だ」

——もしあいつがいなければ……。

空いた上役のポストに、自分ではなく、またライバルが選ばれたと知った日、男はとうとう事故に見せかけ、そのライバルを殺してしまった。

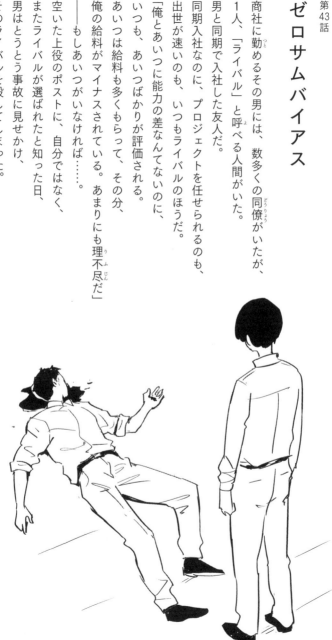

——今度は、俺がいい目を見る番だ。

そう男は思っていた。しかし、ライバルがいなくなっても、男の状況は変わらなかった。

ライバルが就《つ》く予定だったポストには、結局、男とは違う別の社員が就いた。

その後、男の出世が早まることも、プロジェクトの責任者に選ばれることもなかった。

ライバル社員の存在など、実は問題ではなかったのだ。

会社も、「男かライバル社員か」などという、二択で考えることなどは、していなかった。

男が、会社から評価されなかったのは、一方的に、「仮想敵《かそうてき》」を作ってライバル視する性格で、協調性がないと評価されていたからだった。

——あいつの得と、俺の損《そん》の間には、何にも関係がなかったのか……。

警察《けいさつ》に逮捕《たいほ》される直前、そう気づいた男は、自分の愚《おろ》かさに絶望した。

第44話

ダチョウ効果

ある老夫婦の妻《つま》が、病気を患《わずら》った。
本人は気丈《きじょう》にふるまっていたが、
病状は重く、もう長くないことは、誰の目にも明らかだった。
しかし、夫は、そのことを頑《がん》として認めなかった。
「顔色が悪いって言われた？　君の真珠《しんじゅ》のような肌《はだ》に
嫉妬《しっと》しているんじゃないのかな？」
妻の体調がだんだんと悪化すると、
あまり自由に動けなくなった妻のために、
身の回りのこともすべて夫が行い、
かいがいしく妻の世話をした。
そのために、勤《つと》めていた会社も辞《や》め、
自宅で、妻を看護《かんご》しながらできる仕事を始めた。
周囲には、そんな夫のことをほめる人間もいた。
ある日、外出先で妻が倒《たお》れ、救急車で病院に運ばれた。

「お医者様から検査結果を聞いた？　やっぱり私、もう……」
病室を訪れた夫に、妻《つま》が言った。
夫は耳をふさいでうずくまった。
「やめてくれ、そんな話は聞きたくない！」
頭を抱《かか》えて震《ふる》える夫に、妻はそっと言った。
「いろいろとお世話をしてくれてありがとう。
みんな、あなたのことを、『やさしいご主人ね』って言う。
でも、それは間違っている。
あなたは、『やさしい』んじゃなくて、『臆病《おくびょう》』なだけ。
あなたが私を愛してくれているのはわかる。
でも、あなたは『臆病』だから、私の病気から目を背《そむ》けて、
逃《に》げてしまったのよ。ダチョウって、
危険《きけん》な状況に遭遇《そうぐう》すると、頭を砂に突《つ》っ込《こ》んで、
その危険を見えないようにするんだって。
でも、見えなくなったからって、
その危険が去ったわけじゃないのにね」

私がいなくなっても、現実から目をそらさず、強く生きてね
人は現実から目をそらす生き物だ。
受け入れなければいけないと、わかっていても……

第45話

モラル・ライセンシング

人と会う約束に遅《おく》れそうで、男は急いでいた。
目の前の歩行者用信号が、渡《わた》る直前で赤に変わる。
いつもなら、男も足を止めただろう。
しかし、男は、ついさっき、道に迷《まよ》った老人を
交番に連れて行ったことを思い出していた。
――もともと、約束に遅れそうなのも、あれが原因だ。
いいことをしたんだから、その分、ちょっとだけ
ルール違反《いはん》をしたって、誰も文句を言わないだろう。
それに、歩行者用の信号が赤になったからといって、
間髪《かんぱつ》入《い》れずに車が動き出すわけではない。
信号無視《むし》はよくないが、今なら渡れる。
男はそう思って、急いで横断歩道を渡り始めた。

上京してきた老母が道に迷《まよ》って交番にいるらしい。
女は、運転する車のスピードを少し上げた。
交差点の信号は、まだ赤だ。
でも、歩行者信号は、もう赤になっている。
今のタイミングでは、まだ車を停止《ていし》させないといけない。
いつもなら、女も、そうしただろう。
しかし、その女は午前中、募金《ぼきん》活動に協力していた。
――今日はいいことをした。
それに交差点を通過するときには、
信号は青に変わるに違いない。
ここで、ちょっとだけフライングをしても、
絶対に罰《ばち》は当たらないはずだ。
もう歩行者信号は赤になっているんだから、
誰も飛び出してこないだろう。
女は、ブレーキにかけた足を外し、アクセルを踏《ふ》んだ。
それは、1人の男が横断歩道に飛び出したのと、
まったく同じタイミングだった。

第46話
スティンザー効果

あのカウンセラーは、はじめから怪《あや》しかった。
「カウンセラー」を名乗っているクセに、
「人間のことを研究中」とかと言っていた気がする。
今日だけは、失敗できないというのに——。
僕は、これから、彼女にプロポーズするつもりだ。
だから、絶対に上手くいくアドバイスがほしかったのに……。
カウンセラーは、自信なさげに僕に言った。
「人間には、『スティンザー効果』という心理法則があって、
正面に座《すわ》ると『意見が対立する人』というイメージ、
隣《となり》に座ると、『味方になりたい人』というイメージがあるようです。
だから、プロポーズをするときは、
絶対に隣に座るべきです」

「絶対に隣《となり》に座《すわ》るべきです」
あのカウンセラーは、そう言ったのに……。
隣に座り、勇気を出してプロポーズの言葉を口にすると、
彼女は少しだけ悲しそうな表情をした。
「あなた、私の目を見てくれないのね。
私の目を正面からまっすぐに見てほしかった。
目をそらさずに、愛の言葉を私に届《とど》けてほしかった」

しばしの沈黙《ちんもく》。僕はあわてて言った。
僕のプロポーズを成功に導《みちび》いてくれたのは、
「心理法則」などではなく、
僕が大好きだった『星の王子さま』という物語を書いた
サン=テグジュペリの言葉だった。
僕は、サン=テグジュペリの言葉を借りて言ったのだ。
「『愛』とか『結婚』って、
お互《たが》いに見つめあうばかりじゃダメだと思うんだ。
僕は『結婚』って、2人が同じ方向を見つめることだと思う」

キミと同じ方向を向いて、一緒に人生を歩いていきたい

第47話
ピアノの蓋《ふた》のたとえ

一人の男が、身一つで洋上に投げ出された。
乗っていた豪華客船《ごうかきゃくせん》が氷山にぶつかり沈没《ちんぼつ》したのだ。
男は死を覚悟《かくご》した。
これまでの人生が、走馬灯《そうまとう》のように甦《よみがえ》ってきた。
――俺は、今まで、いくつもの事業を興《おこ》し、失敗もしてきた。
最初は、うまく軌道《きどう》に乗っていても、
一つの成功体験にしがみつき、時代の変化に対応できず、
会社を衰退《すいたい》させてしまった……。
そんな男の前に、プカプカとピアノの蓋《ふた》が流れてきた。
おそらく、船内で演奏に使われていた
グランドピアノの蓋が浮《う》いて流れてきたのだろう。
男は、その光景を見て、
ついこの前読んだ、ある本の一節を思い出した。
それはまさに、「ピアノ蓋」のたとえだった。

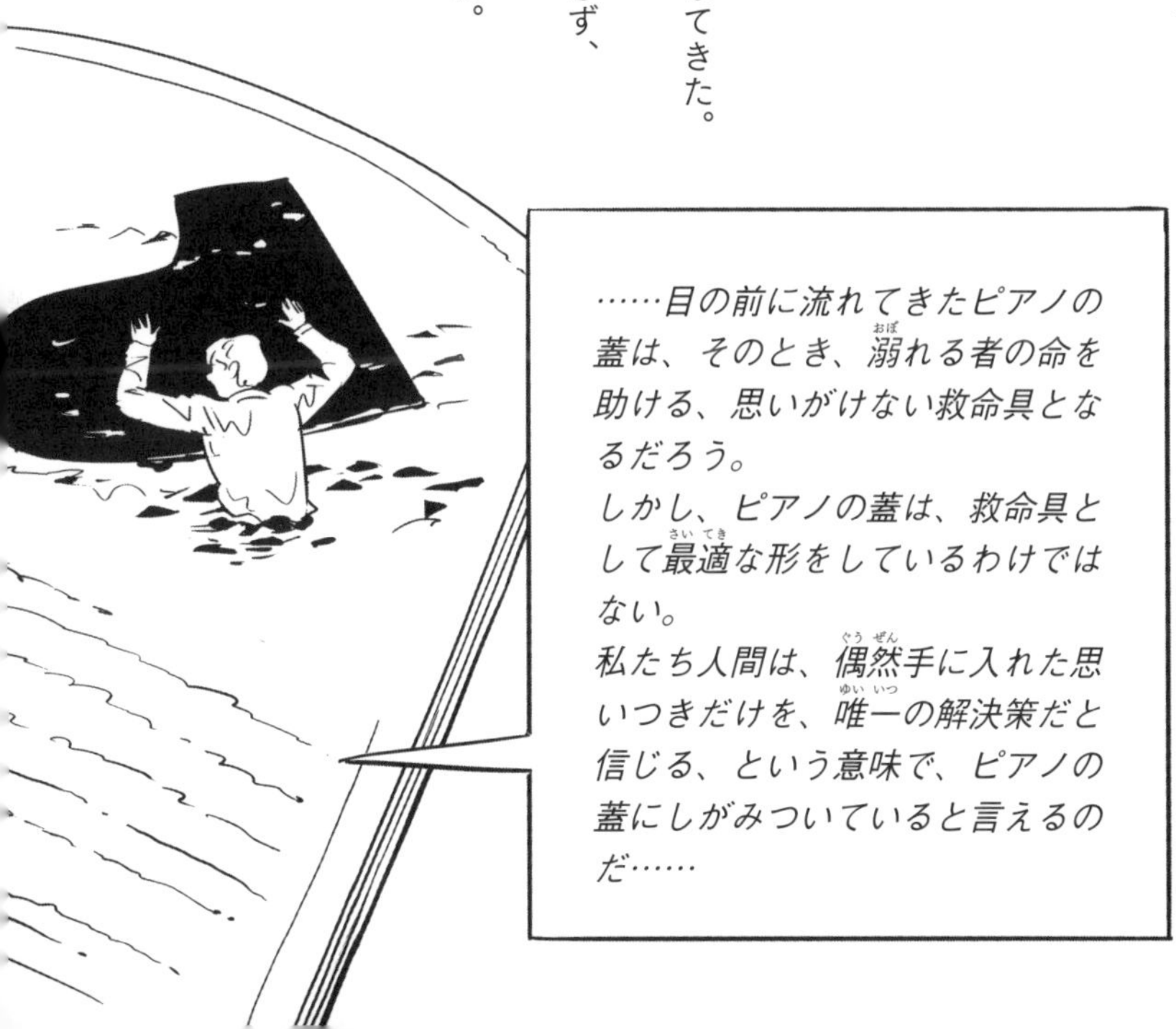
……目の前に流れてきたピアノの蓋は、そのとき、溺《おぼ》れる者の命を助ける、思いがけない救命具となるだろう。
しかし、ピアノの蓋は、救命具として最適《さいてき》な形をしているわけではない。
私たち人間は、偶然《ぐうぜん》手に入れた思いつきだけを、唯一《ゆいいつ》の解決策だと信じる、という意味で、ピアノの蓋にしがみついていると言えるのだ……

男は、「ピアノの蓋《ふた》」にしがみついてきた
それまでの人生を後悔《こうかい》していた。
だから、ピアノの蓋にはつかまらず、
それが遠くへ去っていくのを見送った。
そして、すぐに我《われ》に返った。
——今、あの蓋につかまって生き抜くことは、
全然、「しがみつくこと」じゃない！

豪華客船《ごうかきゃくせん》に乗る前、男は自分の不運を嘆《なげ》き、
神に祈《いの》っていた。
「どうか、私に、人生が変わるような
幸運を与《あた》えてください！」
実は、洋上に投げ出された男の前に、
ピアノの蓋を流れつかせたのは、プロメテウスだった。
しかし、男は、そんな人生最大のチャンスを、
みすみす見逃《みのが》してしまったのだ。
幸運をつかむことと、しがみつくことは違うというのに……。

「幸運の女神には、前髪《まえがみ》しかない」んだ
幸運は、目の前に現れたときにつかまないと、通りすぎたあとでは、もう二度とつかめないものだよ

第48話

グレシャムの法則

「1万年に1人の美少女」というキャッチフレーズの美少女アイドルのモモカを中心に、5人組のアイドルグループが結成された。

しかし、グループは人気が出る一方、モモカだけは、今ひとつ人気が出なかった。

モモカが所属する芸能事務所の社長が、社長室に彼女を呼《よ》び出《だ》して面談をした。

「グループの中で、モモカだけが人気が出ていない。モモカは、容姿《ようし》では、グループの中でも、圧倒的《あっとうてき》に輝いているのに、なぜなのか。自分で、その理由はわかるかい?」

「グループのメンバー構成が間違っているんだと思う。『グレシャムの法則』ってやつじゃないの?」

「その『グレシャムの〜』って、何だい?」

モモカは、その美貌《びぼう》に似合《にあ》う、クールな口調で言った。
「学校で習ったの。『悪貨は良貨を駆逐《くちく》する』んだって。
つまり、同じ価値で、質のよいものと質の悪いものが
同時に存在すると、市場では、質の悪いもののほうが
より流通するんだって。たぶん、そういう状況なのよ」
「まさに、今のモモカの言葉に、なぜ、モモカだけが
人気が出ないのか、その答えがきちんと入っているね」
社長は、まっすぐにモモカの目を見て言った。
「人間は、貨幣《かへい》とは違うから、
『原材料の中の、金の含有量《がんゆうりょう》が違う』ということはない。
ましてや、どちらが本物なんてこともない。
みんな、それぞれ魅力《みりょく》があって、
その魅力にファンがつくんだよ。
モモカは、グループの中で、自分が本物の良貨で、
ほかのメンバーは悪貨だと思っているんじゃない？
『グレシャムの法則』なんて言うってことは、そうだよね。
ファンは、そういう性格の悪さに気づいてしまうんだよ」

第49話

プラシーボ効果

ダイエット用の新薬を研究、開発する会社に、
治験者《ちけんしゃ》の1人から、電話がかかってきた。
「治験に協力するのをやめたい」とのことだった。
治験とは、開発段階で、その新薬にどれほどの効果と
副作用があるのかを、実際に投薬して検証《けんしょう》することである。
なんでも、治験に参加していたところ、
「かなりの頻度《ひんど》でガスがでるようになってしまい、
仕事の会議中に、ガスだと思ってこっそり放屁《ほうひ》したら、
便も一緒にでて、大変なことになってしまった」そうだ。
「治験による副作用の結果である」ことを
きちんと会社に証明してほしい、のだという。
部下の報告を受けた上司が聞いた。
「ほかの治験者からも、同じような副作用が
報告されたりしているのか？」

上司に聞かれた部下が、おずおずと答えた。
「いえ、そのような報告は受けておりません。
と、言いますか、その治験者《ちけんしゃ》、
実は、『プラシーボ群《ぐん》』の中の1人で……」
薬には、実際の薬効ではなく、暗示作用によって、
病気を治してしまう力がある。
そこで、新薬を治験するときには、
必ず、実際の薬効成分をもつ薬を飲ませる集団と、
何の効能も副作用もない偽薬《ぎやく》（プラシーボ）を
飲ませる集団を用意し、比較《ひかく》調査する。
「ということは、薬の効能や副作用とは関係なく、
会議中にガスや便がでた、ってことか。
いや、そもそも、さっき、
『ガスだと思ってこっそり放屁《ほうひ》したら、便も一緒にでて、
大変なことになった』って言ったけど、
それ、『会議中に』だったよな？
仕事の会議中に、オナラをしたってことだよな？」

副作用でもなく
会議中にオナラ？
それはもはや、
自己責任だろう？

第50話

ライナスの毛布

母《はは》娘《こ》の2人を人質にとり、長時間、
民家に立《た》て籠《こも》っていた犯人《はんにん》が、ようやく捕《つか》まった。
解放された時、母親は、娘を強く抱《だ》きしめ、
娘は胸《むね》にかかえた人形を強く抱きしめていた。
数ヵ月後、母親は、雑誌のインタビューを
受けることを決めた。そうでもしないと、
いつまでもマスコミが、母娘を追いかけ回すからである。
「人質になっている間、あなたを強く支えたのは、
どんな気持ちだったんでしょう?」
「私が絶対に娘を守る、という気持ちです」
「解放されたとき、娘さんは、人形を強く抱きかかえていましたが、
娘さんの心身は大丈夫《だいじょうぶ》でしょうか?
娘さんにとって、あの人形が、
『ライナスの毛布』になったんでしょうか?」

「ライナスの毛布」は、「スヌーピーで有名な、
マンガ『ピーナッツ』の登場人物であるライナスが、
いつも毛布を持ち歩いている」ことに由来する言葉で、
「子どもにとっての精《せい》神《しん》安《あん》定《てい》剤《ざい》」
のような意味である。

母親は、ゆっくり、そして力強い口調で言った。
「それは、ちょっと違います。
私は、人質になっているとき、娘に言いました。
『お母さんが、絶対にあなたを守るから』と。
そして、娘に人形を渡して言ったんです。
『だから、あなたはこの人形を、
絶対に守ってあげてね』と。娘は、あの人形を、
自分の子どもとして守り抜いた勇者です。
勇者だから、くじけずに戦い抜くことができました。
でも勇者には、戦いのあとの休息が必要です。
もうこれ以上、私たちを取材で
追いかけ回すことはご遠《えん》慮《りょ》下さい」

第51話
ストックホルム症候群《しょうこうぐん》

「ねぇ、お母さん。私が小さい頃、私とお母さん、犯罪《はんざい》に巻《ま》き込《こ》まれて、人質になったことない？」

高校生になった娘が、突然《とつぜん》そんなことを聞いてきた。

とうとう恐れていたことが、起きてしまった。

娘の記憶《きおく》が甦《よみがえ》ってしまったのだ。

もう隠《かく》してもしょうがない。

「そうよ、でも忘れなさい。凶悪《きょうあく》な犯人は、逮捕《たいほ》されてるわ。あれは、思い出さなくていい事件なの」

「凶悪な犯人？　だったかな～。何か、その犯人に優しくされたような記憶があって、憎《にく》しみとか怖《こわ》いっていう記憶はないんだけど……」

母親は、もうこの話を切り上げたいと思った。

「それは、『ストックホルム症候群』というものよ。犯罪《はんざい》の被害者《ひがいしゃ》が陥《おちい》る心理状態よ」

ストックホルム症候群って、
監禁《かんきん》事件の被害者が、
その犯人に優しく
されたりすると、
好意的な感情を
抱《いだ》いてしまうことよ

「ストックホルム症候群《しょうこうぐん》で、私が、その犯人に、いい記憶をもってしまったってこと？」
うなずく母親に、娘が攻撃《こうげき》するような口調で言った。
「お母さん！　本当のことを話して!!
私、あのときの事件のことも調べたわ。
それで全部思い出したの！
あの犯人――ううん、あの人、
お父さんなんでしょ？」
母親が、観念するように目を伏《ふ》せた。娘は続けた。
「あの日、お母さんと、元夫のあの人の間で何があったか、
なんで、あの人が私たちを人質にして
立《た》て籠《こも》ったのかは知らない。でも、私は知っている。
お母さんが、どれだけ大切に私を育ててくれたかを。
私は、お母さんを信じてる。今さらあの人を父親だと
思うこともない。でも、本当のことを知りたいの！」
そして、母親は、夫と別れた理由と、あの事件の真実を
娘に話した。2人は、泣きながらお互《たが》いを強く抱《だ》きしめた。

第52話

コブラ効果

その国の王は、自然を愛していた。
海や森が、人間の捨てたゴミで汚されている。
多くの野生生物が、そのゴミによって傷《きず》を負ったり、苦しめられている。
そんな国の現状に心を痛めた王は、
ゴミを回収し、生き物を保護する活動に尽力《じんりょく》した。
問題をすぐにすべて解決することは難しい。
しかし、王は、自らもゴミ回収を行い、
また、日々報告される活動の成果に喜んだ。
「自然保護という自分の夢をかなえるために
汗を流すことは、本当に気持ちがいいことだ」
未来の地球を憂《うれ》い、あらゆる生物を憐《あわ》れむ。
そんな人の持つ思いやりの心が、
必ずいつかすべてを解決すると王は信じるのだった。

「残りのゴミは、この辺にばらまいてくれ」

王の家臣《かしん》は、部下たちにそう指示した。

「これだけゴミがあれば、環境保護の活動も成果を上げやすい。王もお喜びになるだろう」

家臣は心から王を敬《うやま》っていた。

――ゴミ拾いやケガをした動物の保護などは、王の「生きがい」だ。だから、その生きがいを続けるために、我々《われわれ》家臣は、王に協力しなくてはいけない。

ゴミやケガをした動物を、安定的に供給《きょうきゅう》していかなくてはいけないのだ。

家臣たちは、ひそかに、海や森にゴミを捨て続けた。

結果、ゴミは増え、国の自然環境は、むしろ悪化していった。

思いやりがすべてを解決する――

この世の物事は、それほど単純ではない。

人の思惑《おもわく》など超えて、思いもよらぬ方向へ進んでしまうものなのだ。

第53話
働きアリの法則（パレートの法則）

「やる気」を失った社員のモチベーションを上げ、
また、起業のサポートをして、大きな成果を上げ続けている
コンサルタントが、その秘訣《ひけつ》を語った。
『働きアリの法則』って、ご存じですか？
私は、その逆をやった——まぁ、実質、何もしてなくて、
人を集めた、というだけのことなんです。
つまり、『働かない』の烙印《らくいん》を押されていた2割を集めて、
小さな会社にするんです。
そうすれば、『働きアリの法則』にしたがって、
2割はとても働き、6割はふつうに働くようになる
わけです。もともと、全員、「ダメ社員／働かない社員」
の烙印《らくいん》を押されていたわけですから、
これは、とんでもない生産性のアップですよ。

働きアリを集めると、
必ず、
「よく働く」
「ふつうに働く」
「働かない」
という3タイプに分かれ、
その割合は、「2：6：2」
になるんです。
たとえば、
「よく働く」だけを集めても、
やっぱり、その中で、
3タイプに分かれてしまう
そうなんです
2
6
2
働かない
普通
よく働く

コンサルタントの話を聞いたインタビュアーは、疑問に思った。

「でもそうすると、また『働かない』2割が生まれるわけですよね。それは、ちょっと言葉は悪いですが、『ダメ中のダメ』と言いますか……。

その烙印《らくいん》を押されてしまった社員も不幸だし、その新会社が、『ダメ中のダメ』社員を生み出す装置になってしまう気がします。

それに、小さな会社で2割が働かないと、経営的に厳しいいんじゃないでしょうか?」

コンサルタントは、笑いながら答えた。

「なかなかいいところに気づきましたね。でも大丈夫《だいじょうぶ》なんです」

そして、声のトーンを低くして言った。

「実は、その2割は、その小さな会社の社長や経営層になってもらうんです」

ここだけの話、社長がどんなに働いても、現場の社員が働かなければ、その会社は、かなりピンチな状況になりますが、
逆は、けっこう何とかなるものなんですよ
社長
社員
社員
社員

第54話

ジャネーの法則

1人の老人が、今まさに息を引き取ろうとしていた。
老人の頭の中で、生涯《しょうがい》の思い出が再生される。
年をとってからの1年は、本当にあっという間に過ぎた。
仕事をバリバリこなしていたときも、
定年後ほどではないが、時間が全然足りなかった。
それに比べて、子どもの頃は、
1年が「永遠」と思えるほどだった——。
老人は、静かにつぶやいた。
「子どもの頃と、成長してからでは、
心理的に感じる時間の長さは、違うんだったな。
『何とかの法則』とかって名前だったけど、
何だったかな……」
そして老人は、それを思い出せないまま、
静かに息を引き取った。

広い地下倉庫のような空間に無数のカプセルが並んでいる。
そのカプセルを管理を任されている2人の男が、
寂《さみ》しそうに話をしていた。
「しかし、なんでこんなことになったんだろうな？」
「『なんで』も何も、人類の自業自得だろ。もう地上は、
人間が住める場所じゃないんだ。だから、人間は、
カプセルの中で、脳内《のうない》に模造記憶《もぞうきおく》を送り込んで、
架空《かくう》の世界で生きていくしかないんだよ」
この世界では、大多数の人間は、
カプセルの中のバーチャルな世界で一生を終える。
「でも、このカプセルで養える人間は、
数が限られているだろ？　どうするんだ？」
「だから、生涯《しょうがい》を終わらせるしかないんだ。
皆の生涯を、なるべく長く続けさせてあげたい。
でも、時間には限りがあるからな。子どもの頃は、
時間をゆっくり流すようにして、年をとっていく
につれ、再生速度を上げるようにしているんだ」

50歳の人間は、
5歳の人間の、
10倍速くらいの
スピードで再生して
るんじゃないかな？

第55話

ハロー効果

美しい女がいた。
彼女は、その美貌《びぼう》を維持《いじ》するために、
食事や健康には、人一倍、気をつかっていた。
多くの男性が、彼女の美貌に引《ひ》き寄《よ》せられた。
彼女は、自分の容姿《ようし》ほどには、
自分の性格を磨《みが》こうとは思わなかった。
傲慢《ごうまん》な性格だったが、それを隠《かく》そうともせず、
他人に対しては、まったく謙虚《けんきょ》さをもたなかった。
しかし、美貌によって、その性格も美化されてしまうのか、
「自信に満ちて、妥協《だきょう》を許《ゆる》さない性格」
「高貴で、揺《ゆ》るがないプライドを持っている」
などと、その性格も、多くの男性に絶賛《ぜっさん》された。
そして、彼女は、高名で財力のある医師と結婚し、
何の不自由もない、順風満帆《じゅんぷうまんぱん》の人生を歩んでいった。

しかし、彼女の人生は、早くに幕《まく》を閉じた。
どんな美貌《びぼう》も、病には勝つことができなかったのだ。
早期に発見できれば治療《ちりょう》は不可能ではなかった。
だが、名高い医者である彼女の夫は言った、
「美を維持《いじ》するために、
彼女は、とても健康的な生活を送っていた。
彼女が病気になるなんて、思いもしなかったんだ」

しかし、2人を知る周囲の人々は噂《うわさ》した。
「美貌だからって、病気にならないなんて思うかな?」
「あの病気、早期に発見して手術すれば治るけど、
身体に手術の傷《きず》が残るよね。
彼は、それが嫌《いや》だったんじゃないの?」
「いやいや、結局、美貌にひかれて結婚したけど、
彼女の性格の悪さに耐《た》えられなくて、
早く別れたいと願っていたんだよ」

第56話

ウェルテル効果

人気俳優《はいゆう》Aが自死した。若者の間でもカリスマ的な人気をほこっていた彼の突然《とつぜん》の死について、多くのマスコミが、その理由を推測《すいそく》するような報道《ほうどう》を続けた。その後、人気俳優のあとを追うように、同じような方法で自死する若者が多く現れた。

社会学者たちは、「これは、ウェルテル効果だ」と分析《ぶんせき》した。それは、「有名人の自殺報道に影響《えいきょう》され、自死をする人が増える」という現象である。

そして、人気俳優Aが自死をしてから、だいぶ経った頃、同じ芸能事務所に所属する俳優Bが自死をした。

AとBは、同じようなイメージで若者から支持される人気俳優だったが、Aの人気上昇《じょうしょう》により、最近はBの活躍《かつやく》の場は少なくなっていた。

果たして、Bの死も、「ウェルテル効果」によるものだったのか――？

人気俳優A氏
8月X日に自死の報道
人気俳優B氏
A氏の死後1週間 自宅で遺体見つかる
B氏の死は、むしろライバルを失った虚脱感《きょだつかん》が理由なんじゃないでしょうか。
最近、B氏は、自分のポジションを奪《うば》ったA氏に、敵意《てきい》をむき出しにしていたとも聞きます。
そんなライバルがいなくなって、心に、ぽっかり穴が空いたのではないかと……

Bの死から何ヵ月か経ったある日、事務所に、
Bからの手紙が届《とど》いた。それは、生前に配達日指定で、
彼がだしていたものであった。
手紙には、事務所に対する恨《うら》み節《ぶし》とともに、
このような内容のことが書かれていた。
「僕は、僕よりも、Aをプッシュすることを選んだ
事務所に怒りを覚えるし、憎《にく》んでもいる。
たしかにAの人気に勢いはあるけど、
彼のファン層《そう》は、ライトな層で、コアなファンではない。
何より彼の演技力では、すぐに飽《あ》きられてしまうだろう。
だけど、僕が死を選ぶのは、その抗議《こうぎ》のためではない。
Aの死のあと、何十人かのファンが後追いをしたが、
僕の死で後追いをするファンの数は、数百人単位になる
はずだ。それを知って、あなたがたは、僕の真の人気を
知るだろう。でも、そのときには、もう手《て》遅《おく》れだ」
しかし、実際には、Bが自死をしたあと、
その後追いをしたファンは、誰もいなかった。

ウェルテル効果を起こさない方法は、有名人の自死の報道を極力控《ひか》えることなんです。
A氏のときの反省をふまえ、B氏のときの報道は、各社慎重《しんちょう》になりました。そのため、後追いなどという選択をする人はいませんでした…

第57話

ピーターパン症《しょう》候《こう》群《ぐん》

「ピーターパン症候群」という言葉があるらしい。
年齢《ねんれい》的《てき》には大人なのに、大人になることを拒否《きょひ》し、
「子どものままでいたい」と考える人間のことだという。
しかし、いったい、それの何がいけないのだろう。
今、世界に必要なのは、子どものように、
「純粋《じゅんすい》に、愛を信じて疑《うたが》わない心」なのではないだろうか。
何のしがらみもない自由な発想——それこそが、
「世界を変える力」になりうるのだと思う。だから私は、
この薬——「アポトロゲンPTP」を開発した。
この薬は、服用するとPTP成分により、
大人でも、凝縮《ぎょうしゅく》された「子どもの精神性」を獲得《かくとく》できる。
私は、自分自身を被験者《ひけんしゃ》として、
薬の効果を検証《けんしょう》することにした。

ある日を境に、その町では、
気味の悪い事件が連続して起きるようになった。
それは、小動物を虐待《ぎゃくたい》したり、くだらないイタズラの類《たぐい》だったが、
それを「凶悪犯罪《きょうあくはんざい》の予兆《よちょう》」と考える人もいた。
数ヵ月後、捕《つか》まった犯人は、いい年齢をした初老の男だった。
逮捕《たいほ》された自称・科学者は、
取り調べでも反抗的《はんこうてき》な態度を繰《く》り返《かえ》し、
尋問《じんもん》に対しても感情的になり、警察《けいさつ》を困《こま》らせた――。

「お父さん、『ピーターパン』の原作を読んだんだけど、
ちょっと怖《こわ》い話だったよ」
「そうだね。原作の中でピーターパンは、
ネバーランドで、自分に逆《さか》らう子どもを処刑《しょけい》するし、
対決して切り落としたフック船長の腕《うで》を
笑いながらワニに食べさせてたもんな。
ピーターパンって、子どものいい面だけじゃなく、
未熟《みじゅく》で残酷《ざんこく》な面も描いた作品なんだろうな」

第58話

アンダードッグ効果

とある国のサッカーリーグに、
あまりにも弱いチームが所属していた。
リーグでは、万年最下位。
こんな状態が続くなら、チームは解散《かいさん》――。
とうとうオーナーにそう宣告《せんこく》された。
選手たちは必死の思いで練習し、試合に挑《いど》んだ。
しかし、現実は、そうやさしくはない。
今さら練習しても、チームが勝てるわけではなかった。
しかし、「最下位だったら、チームは解散」という
崖《がけ》っぷちな状況に、応援《おうえん》する人々が増え始めた。
そして、奇跡《きせき》が起きる。対戦チームに怪我人《けがにん》が
続出するなどの偶然《ぐうぜん》の出来事が重なり、
勝ち星が増えていったのだ。弱小チームは、
万年最下位から、順位を上げることに成功した。

しかし、結局、チームは解散《かいさん》することになった。

翌年、彼らは、そこそこに勝利を重ねるようになり、
もはや、「最下位だったら、チームは解散」の
状況ではなくなっていた。
すると、あのとき彼らを応援《おうえん》していた観客たちは、
スタンドから、いなくなってしまったのだ。
多少勝つようになったからといって、
人気がなく観客の呼《よ》べないチームでは、
続けていても利益にならない。
むしろ、勝てなくても客席が埋《う》まるチームのほうがましである。
そしてオーナーは、チームの解散を決めた。
人間は弱い立場にある者を応援したがる。
負け続けているときの彼らが、まさにそうだった。
だが、そこそこ勝てるようになってしまった彼らは、
ただの、「成績のよくないチーム」になってしまった。
そんな彼らに人々はもはや興味を抱《いだ》かなかったのだ。

第59話

正《せい》常《じょう》性《せい》バイアス

真っ昼間の都会に、突然《とつぜん》、巨大《きょだい》なドラゴンが現れた。
9つの頭をもつ巨大なドラゴンで、
大地をふるわすようなうなり声を上げている。
プロメテウスは、それが、ゼウスが送りこんできた、
怪物《かいぶつ》ヒュドラーだと、すぐにわかった。
ヘラクレスが、「試練」として、その退治を命じられた、
不死身の毒竜《どくりゅう》である。
――ゼウスは、人間への「試練」として、
このドラゴンを送りこんできたのか、それとも、
これは、私への「試練」なのだろうか。
プロメテウスとて、このドラゴンを倒《たお》すことなどできない。
プロメテウスは、ありったけの大声で叫《さけ》んだ。
「逃《に》げろ！　これは、本物のドラゴンだ！
毒《どく》も吐《は》く！　できるだけ遠くに逃げるんだ！」

みんな逃《に》げるんだ！
これは、
本物のドラゴンだ

しかし、人々は、ドラゴンから一定の距離《きょり》を保ち、遠巻《とおま》きに眺《なが》めていて、逃《に》げる様子はない。プロメテウスが、どんなに大声で叫《さけ》ぼうと、誰も、その場から逃げる者はいなかった。それどころか、何人か、ヒュドラーのほうへ近づこうとする者も現れ始めた。

子ども連れの女性が、プロメテウスに聞いた。

「これ、何の撮影《さつえい》なんですか？　すごくリアルですけど、あれ、立体映像か何かなんですか？」

その直後、大きな悲鳴が上がった。ヒュドラーに近づいた人々が、虫けらのように踏《ふ》みつぶされたのだ。

プロメテウスは、かつても、人間たちが危機《きき》に直面したときに、警告《けいこく》を発しても無視《むし》され続けたことを思い出した。

――そうだ。人間は、危機的状況に直面したとき、現実を素直に受け止めず、ほかの合理的な理由を探したり、無理やり自分の知っていることから理由づけをする動物だったんだ……。

人間は、危機的状況を直視できず、現実逃避《げんじつとうひ》する生き物だとわかっていたのに、どうして私は、あんな注意しかできなかったんだ。
それこそ、現実逃避じゃないか……

第60話

フードファディズム

彼女の母は、昔から食べ物にうるさかったそうだ。
「これ、添加物《てんかぶつ》がたくさん入ってるお菓子《かし》じゃない！
こんなときに、こんなものを選んでもってくる？」
「せっかく彼が選んでくれたのに、文句言わないで。
そんなの気にしなくてもいいでしょ」
「何言ってるのよ！　添加物の種類とか、
これを作っている工場で、ほかに何を作っているのかとか、
そういうことを気にするのって、当たり前でしょ？」
「いい加減にして！　ちゃんと安全基準《きじゅん》を守って
作られているものを選んでいるわよ！
あれは体に悪いとか、これは体に悪いとか、
科学的な根拠《こんきょ》のない噂話《うわさばなし》を真に受けて騒《さわ》がないでよ！」
彼女の母が、金切《かなき》り声《ごえ》を上げて反論した。
「食べて病気になったらどうするのよ！」

「病気になるも何も、もう死んでるでしょ！」
彼女も叫《さけ》ぶように、母親に言い返した。
「幽霊《ゆうれい》のくせに、体に悪いだのなんだの
お供《そな》え物《もの》にグチグチ言わないでよ！
こんなことになるから、彼をお母さんのお墓《はか》には、
連れてきたくなかったのよ」
もう亡《な》くなっているというのに、彼女の母は、
墓参りのたびに、霊感《れいかん》の強い彼女に、
お供え物の文句を言うそうだ。僕には見えないが……。
「あなたこそ、幽霊になったこともないくせに、
知ったようなことを言わないで！」
「生きてるときから、あれこれ気をつけてたくせに、
お母さん、結局早死にして、
私を置いていっちゃったじゃない。お母さんのバカ！」
「だから言ってるの。幽霊だって病気になるかも
しれないじゃない！　また死んで、
二度とあなたに会えなくなったら、どうするの！」

第61話

スポットライト症《しょう》候《こう》群《ぐん》

「人間的な生活を取《と》り戻《もど》したい」と言って、
芸能界を引退した人気女優が、
かつて所属していた芸能事務所の社長を訪ねてきた。
「君は、スポットライトを浴《あ》びる舞台から、
自ら去っていったんだろ?」
「そうです。でも、ふつうの生活に戻ってみて、
この刺激《しげき》のない生活に耐《た》えられないことに気づきました。
みんなから注目されていたあの頃を、
どうしても忘れられないんです」
「キミは逃《に》げたんだよ。もうスポットライトの中心には、
別な若者が立っている。キミの居場所なんてないんだ。
今さら、何をしたって、もうキミには、
スポットライトなんて当たらないよ」

大丈夫《だいじょうぶ》です。必ず私は、スポットライトを浴《あ》びてみせます
カメラを私に向けさせます

「元人気女優、芸能事務所社長を殺害」
そんな見出しが、次の日の新聞の一面を飾《かざ》った。
「かつての人気女優が、
育ての親である社長をいったいなぜ？」
世間は、事件の話でもちきりになり、
その女優のことが連日ニュースで取り上げられた。

ふたたび女優として復帰しても、もはや誰も注目して
くれないだろうことは、彼女自身が一番わかっていた。
彼女にとって、女優としての復帰など、
実はどうでもよいことだった。
彼女が求めていたのは、どんな形であれ、
再び人々の注目の的となり、
たくさんのカメラが自分に向いてほしい、
ということだった。
警察《けいさつ》に連行されるとき、記者たちのカメラの、
無数のフラッシュを浴《あ》びながら、
彼女は幸せそうに微笑《ほほえ》んでいた。

第62話

イライザ効果

「ふざけるな！　ワシをおちょくっとるのか！」

腹を立てたおじいさんが、パソコンを怒鳴《どな》りつけた。

「やめてくださいよ。大声出したって、しかたないでしょ」

おばあさんが、あきれたように言う。

おじいさんは、最近、パソコンを使い始めた。

なかなか遊びに来れない孫《まご》たちと、

大きい画面でビデオ通話するためだ。

「こいつが、言うとおりに動かないんだ。

ワシのことを嫌《きら》いで、意地悪《いじわる》してるんだ！」

「機械にそんな意思があるわけないでしょ！

あなたが初心者で、使い方を間違えているだけですよ」

おじいさんは納得できない様子で言った。

「いいや、こいつはワシを馬鹿《ばか》にしておる。

今に見ておれ！」

数ヵ月後、久しぶりに孫《まご》たちが遊びにきた。
「せっかくみんな来てくれたんだから、
ちょっとくらい顔を出してくださいな」
そう言うおばあさんに、部屋の中から声が返ってくる。
「わしは今、忙《いそが》しいんだ！　パソ子がわしのために、
オススメのページを表示してくれたからのう。
パソ子は、ワシのことが大好きなんだ。
なかなか顔を見せん孫たちより、
はるかに、ワシのことをわかってくれておる」
「パソコンに、好きも嫌《きら》いもないですよ……」
おばあさんは、やれやれといった表情で頭を振《ふ》った。
「ちょっと前まで、『ワシのことが嫌いなんだ』
なんて言っていたくせに、慣れてきたら、
今度は、『好かれている』と思い込むなんて……。
昔からこの人、最初はツンツンしてるけど
仲よくなると、デレてくる女に弱かったのよねぇ……」

じいちゃん、そのPC、「パソ子」じゃなくて、「イライザ」って名前にしたら？
単なるプログラムでしかないコンピュータを擬人化《ぎじんか》して感情移入してしまうことを、「イライザ効果」っていうみたいだから
パソ子

第63話

デフォルト効果

「君の企画は否決《ひけつ》されたんだ。あきらめろ！」

上司に言われ、部下の女性は食い下がった。

「なぜです？　成功の可能性は十分なのに！」

「プロジェクトに賛同《さんどう》するかしないか、

先日の役員会でアンケートをとったんだ。

賛同するなら、チェックを入れてくれとな。

チェックを入れた役員はほとんどいなかったよ！」

部下は一瞬《いっしゅん》ひるんだが、すぐに言い返した。

「もう一度、アンケートをとってください。

そのアンケート結果、絶対に覆《くつがえ》してみせます！」

「無駄《むだ》に決まってるだろ！　急にアンケート結果が

逆転するような奇跡《きせき》が起こるものか!!」

しかし、二度目のアンケートをとると、

なんと本当に結果は逆転したのである。

企画内容を
必ずブラッシュアップ
しますから、
もう一度、アンケートを
とってください。
お願いします！

「アンケートの結果、覆《くつがえ》りましたよ。やりましたね！

企画内容を、どういう風に変えたんですか？

あんな短時間で」

プロジェクトチームのメンバーが、女性に聞いた。

「表現は少し変えたけど、企画内容自体は、ほとんど変えてないわよ。変えたのは、チェックの入れさせ方。

『賛同《さんどう》するなら、チェックを入れてくれ』じゃなく、

『賛同しないなら、チェックを入れ、理由を書いてくれ』ってしたの。それなら、何もしなければ
『賛同する』ことになるわ。人間は、提示《ていじ》されたものを、積極的に変更《へんこう》したがらないものなのよ」

そして、女性は冷たい表情で付け加えた。

「でも、もともと本気で考えた回答だったのなら、結果がそう簡単に変わるわけないわ。

役員たちは、内容をきちんと検討《けんとう》することなく、その場の気分で答えているだけなのよ。そんな人たちになんか、プロジェクトをつぶされるわけにはいかないわ！」

第64話

スノッブ効果

パーティーに集まったセレブたちが
今までに泊《と》まった一番いいホテルの話をしていた。
「イタリアの五つ星ホテルがすごかったよ」
ある男が自慢《じまん》げに言うと、周りは鼻で笑った。
「そんなところ、みんな泊まったことがあるさ」
有名な高級ホテルなど、泊まっていて当たり前。
皆は、おそらく一見客《いちげんきゃく》では予約できないだろう、
男の知らないホテルの名を出し、語り合っている。
男は恥《は》ずかしいやら、うらやましいやらでたまらない。
「みんなが知っているようなホテルじゃダメだ！
俺も他の人が知らない特別な場所に泊まりたい！」
男は必死で探し回った。そしてとうとう、
ほとんど知られていない、人里離れた山奥《やまおく》にある、
一軒のホテルを見つけ出した。

大自然が一望できて、
食事はこの上なくヘルシー
芸術的な調度品に囲《かこ》まれて、
最高のホテルだ！

確かに、そこは誰にも知られていないホテルだった。
欠陥《けっかん》建築なのか、壁《かべ》のどこかに隙間《すきま》があるようで、
隙間風《すきまかぜ》と一緒に虫が入ってくる。
「地元の食材を使った料理」の実際は、
廃棄《はいき》野菜を集めたような粗末《そまつ》な食事で、
食が進まないから、ダイエット効果はあるかもしれない。
部屋にあるものはみな、イスもベッドも
歪《ゆが》んで傾《かたむ》き、出来の悪い芸術品のようだ。
予約がとれなくて、誰も宿泊《しゅくはく》できないのではなく、
そもそも、誰も泊《と》まりたいとは思わないホテル。
――しかし、男にとって、他の人が誰一人
泊まったことがないということが、
もはやホテルが最高である基準になっていた。
「まったく最高のホテルだよ！　なんたって、
あいつらは泊まったことがないホテルなんだから、
それだけで俺は満足だ！」

第65話

コロンブスの卵

新大陸到達の航海《こうかい》を終え、酒場で食事をしていたコロンブスにからんでくる男がいた。

「お前は、逆回りの航路をとって、自分でも気づかないまま、たまたま新しい大陸にたどりついただけだろ？ そんなこと、誰にだってできるさ」

それを聞いたコロンブスは、男に、殻《から》のついた「ゆで卵《たまご》」を渡して言った。

「この卵を立てることはできるか？」

男は、何度か卵立てに挑戦《ちょうせん》してみたが、うまく卵を立てることはできなかった。

すると、コロンブスは、男の手から卵を奪《うば》い、テーブルに卵の尻《しり》をうちつけて殻をへこませ、卵を見事に立てて見せた。

卵の尻《しり》を割って、卵を立てることを、思いついたか？
誰にでもできそうなことでも、最初に行うことが難しいし、意味があるんだ！

コロンブスが自慢気《じまんげ》に強気の発言をした瞬間《しゅんかん》、隣《となり》のテーブルで、「おぉ！」という声が上がった。

コロンブスが見ると、卵が絶妙なバランスで立っている。

その卵を立てた男が、冷静な口調で言った。

「卵って、表面にブツブツがあるから、集中して粘《ねば》り強《づよ》くポイントを探せば、絶対に立つんだよ。

それなのに、能力がない奴《やつ》に限って、すぐに『発想の転換《てんかん》』とか何とか言って、強引な方法をとるんだ。

俺に言わせれば、すぐに『発想の転換』とか、『最初に行うことに価値がある』なんて思わずに、正当な努力を続けろ、ってことだよ」

みるみるうちに、コロンブスの顔が赤くなっていく。

それに構《かま》わず、男は続ける。

「それに大事なのは、アプローチの方法じゃなくて、何をしたかっていう結果だろ？」

コロンブスさん、あなたは、冒険家《ぼうけんか》じゃない。残酷《ざんこく》な虐殺者《ぎゃくさつしゃ》だ。
たどりついた新大陸で、何をしたんだ？先住民からの略奪《りゃくだつ》だろ？
そして、何をこの世界にもたらしたんだ？新大陸から持ち帰ったタバコと梅毒《ばいどく》だけだろ？

第66話

クマンバチの飛行

航《こう》空《くう》力《りき》学《がく》的観点で言えば、クマンバチの体の構造《こうぞう》――

羽の大きさでは、空を飛ぶことはできないらしい。

では、なぜクマンバチは飛べるのか？　誰かが言った。

「クマンバチは、自分が飛べる、と信じているからだよ」

僕は、超能力者の一家に生まれた。僕の家族は皆、
超能力をもっている。僕の能力が開花しないのは、
僕自身、超能力などというものを信じていないからだろう。
あるとき、道路の真ん中に取り残されて鳴いている子猫《こねこ》を
見つけた。クルマが、すごい勢いで迫《せま》ってきている。
今から走っていっても間に合わないだろう。
僕は、心の底で強く念じた。そして自分の力を信じた。
「力よ、僕の中から解き放たれてくれ！
僕は、空を飛べる！　自在にモノをすり抜けられる！」

超能力を開花させた僕は、子猫《こねこ》を抱《だ》きしめようとして
——子猫がすり抜けてしまった。

もしかしたら、「モノをすり抜ける能力」によって、子猫がつかめなくなってしまったのだろうか？

いや、そんなはずはない。

能力の加減は、自分でコントロールできるのだ。

幸いなことに、子猫ははねられるギリギリのところで身をかわすことができたようだ。

そして僕は、うしろを振《ふ》り向《む》いて、頭が混乱した。

道端に、僕が倒《たお》れていたからである。

僕は、空を飛んで、倒れている僕自身に近づいた。

倒れている僕は、頭から血を流していた。

その瞬間《しゅんかん》、僕はすべてを悟《さと》った。

僕は、超能力を開花させて、空を飛べたり、モノをすり抜けられるようになったのではなかった。

子猫を助けに行こうとして、ほかの車にはねられて、今、幽体離脱《ゆうたいりだつ》をして、魂《たましい》がさまよっているのだと——。

第67話

マズローの欲求5段階説

公開討論会で、何人かの心理学者、社会学者らが、
「SNSのコミュニケーション」について、
ディスカッションしていた。
1人の心理学者が、皆を見回して言った。
「SNSによって、自《じ》己《こ》承認《しょうにん》欲求《よっきゅう》が肥《ひ》大《だい》化《か》し、
それが原因の事件やトラブルも多発しています。
私は、社会にとってかなり危険な兆候《ちょうこう》だと思いますが……」
それを聞いた社会学者が反論した。
「あなたは、マズローの『欲求5段階説』を
知らないんですか？　『承認欲求』は、たとえば
『お腹いっぱい食べたい』なんかよりも、
はるかに高次元の欲求なんですよ。
『成長欲求』に至るまでのステップと考えてもいい。
それを否《ひ》定《てい》的《てき》にとらえるべきでは
ないんじゃないですか？」

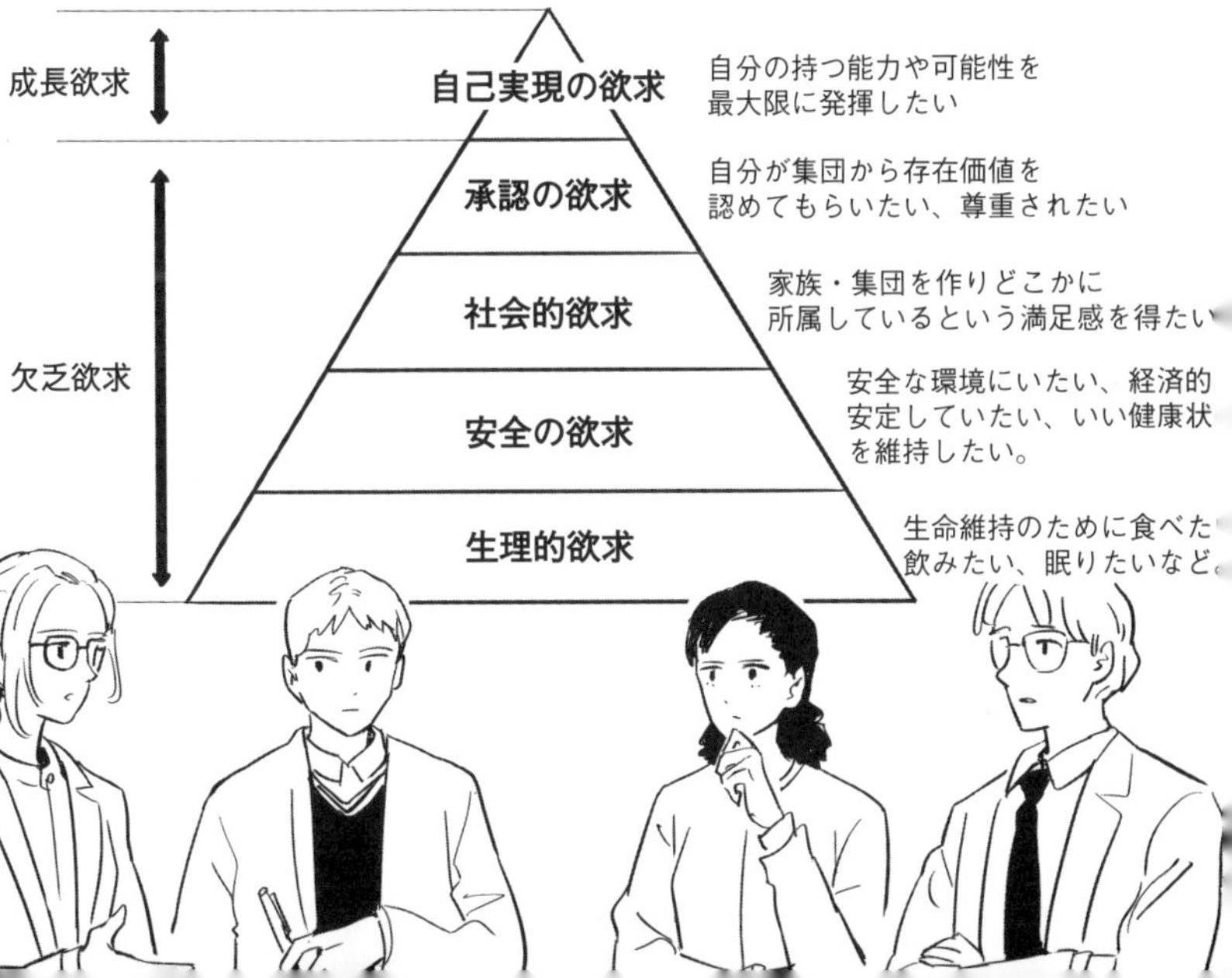

成長欲求
欠乏欲求
自己実現の欲求
承認の欲求
社会的欲求
安全の欲求
生理的欲求
自分の持つ能力や可能性を
最大限に発揮したい
自分が集団から存在価値を
認めてもらいたい、尊重されたい
家族・集団を作りどこかに
所属しているという満足感を得たい
安全な環境にいたい、経済的
安定していたい、いい健康状
を維持したい。
生命維持のために食べた
飲みたい、眠りたいなど。

10年後――。
「マズローの欲求5段階説」を示す典型図が、
人知れず、マイナー修正されていた。

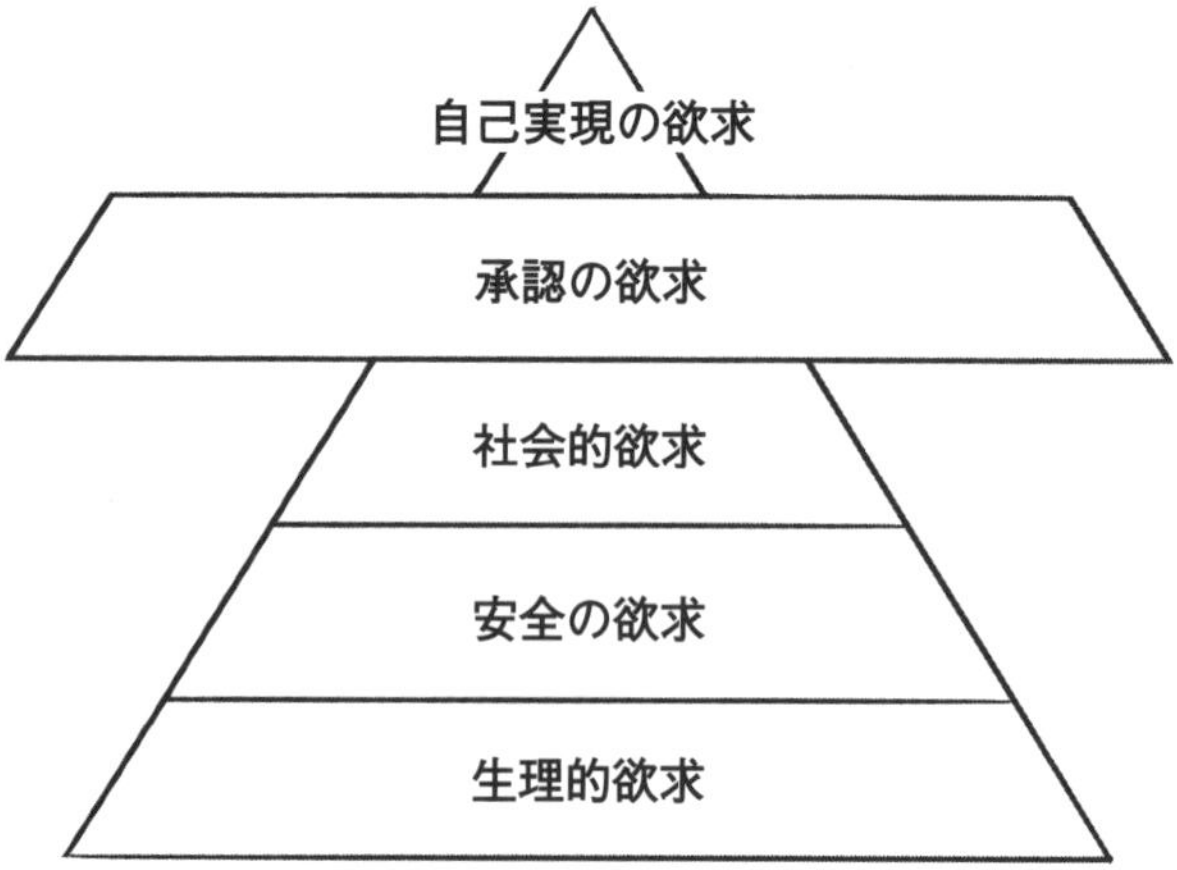

第68話

透《とう》明《めい》性《せい》錯《さっ》覚《かく》

その大物俳優《はいゆう》は、「セリフを発さずとも、表情であらゆる感情を伝えられる」とも称されていた。

あるとき彼は、主演するドラマの番組宣伝《せんでん》のために、テレビのバラエティ番組の収録にのぞんだ。

なんとか収録は終わったものの、その段取りの悪さなどで、俳優の内心は不満だらけだった。

しかし、この時代、そんなクレームをつけようものなら、すぐに、「俳優A、収録現場では、スタッフから大不評」などと記事にされてしまうだろう。

俳優は、収録後、スタジオに残り、不満を覚えたスタッフや、共演者を見回した。

――ここで怒りの表情などは見せてはいけない。

笑顔の中にも、「怒り」は十分に表現できるものなのだ。

すると、すぐに番組プロデューサーがやってきた。

段取りが悪く、
収録時間がおしてしまい、
本当に申し訳ありません。
それにあの若手タレント、
あんな失礼な発言を
二度とさせないよう、
事務所に抗議《こうぎ》しておきます。
それと……

大物俳優の中からは、すでに怒りの感情は消えていた。
代わって彼の心を支配していたのは、
自身の表現力に対する、絶大な満足感である。
——収録中に感じていた自分の不満が、
きちんと伝わったようだ。ふつうの役者なら、
表情だけで「不満をもっている」ということは
伝えられても、「誰の、どんなことに不満があるか」
という細かいことまでは、伝えられないだろう。
「剣豪《けんごう》が刀を抜かず勝つように、私の演技力も、
とうとう極《きわ》まったということかもしれないな」

音声室に戻《もど》ってきたプロデューサーが、情けない声を出した。
「ごめん、タイミングがなくて外せなかった」
「ダメでしたか～。あの人、ピンマイクを外してないから、
小声でブツブツつぶやいている不満が、ぜんぶこっちに
ダダもれなんですよ。一応、プロデューサーには
伝えるべきかと思って、不満の内容をお伝えしましたが……」

今はなんか
自分のことを、
『剣を抜かずに勝つ
剣豪』だとか、
ほざいてましたよ……

第69話

ストライサンド効果

ある大物俳優《はいゆう》が、動画配信者と投稿動画サイトの運営会社を提訴《ていそ》した。その配信者の動画は、どれも閲覧数《えつらんすう》が2ケタ台程度の無名配信者だったが、たまたま、その動画の一つを見た俳優は驚愕《きょうがく》し、個人情報の漏洩《ろうえい》と、肖像権《しょうぞうけん》の侵害で訴《うった》えたのだ。

その動画は、配信者の「街ブラ」を内容としていた。

しかし、動画の背景に大物俳優の住居が映っており、自宅に入っていく俳優の姿《すがた》もとらえられていた。

「誰も気づかないかもしれないが、見る人が見ればわかる。

こんな動画が拡散されて自由に閲覧できたら、私の住居が特定され、たいへんなことになってしまう」

そして、大物俳優は、有名弁護士を雇《やと》い、提訴に踏《ふ》み切《き》ったのである。

訴訟《そしょう》だけでは、決着までに時間がかかる。
弁護士は、二の手を打つことも忘れなかった。
懇意《こんい》にしている雑誌記者に金を払い、
「盗撮《とうさつ》」の被害によって、
俳優が精神的に追いつめられていることを
記事にしてもらった。
動画配信者が、きちんと警察に道路撮影許可届を
だしていなかったことも追及した。
そして、弁護士は、動画を削除《さくじょ》させることに成功した。

しかし、そのプロセスにおいて、俳優が最も隠《かく》したかった
「自宅の場所」は、多くの人間が関心をもつことになり、
――もともとの動画の中では、ほとんど誰も気づかない
レベルだったのに――詳しい住所まで特定されるに至《いた》った。
ほとんど観る者のいない動画として放っておけば、
誰も知ることのなかったものを、大《おお》騒《さわ》ぎしたことによって、
より広まる結果となってしまったのだ。

第70話

ヴェブレン効果

僕は、いわゆる「貧乏画家《びんぼうがか》」というやつだ。
僕の絵を買ってくれる人なんていないのに、
絵を描くことしかできなくて、絵にしがみついている。
長年かけて絵をかきためて、こうして個展を開いても、
僕の絵を買ってくれる人なんて、誰もいない。
完成させるまでにかかった時間とくらべると、
とても割に合わない低価格をつけているのに、
絵はまったく売れない。
「え〜、こんな絵、ただでもほしくない」
暇《ひま》つぶしで来場したお客が、そう言っているのも聞いた。
僕は、展示を見に来てくれた美大時代の友人に尋《たず》ねた。
彼は、作品が高値で売れる、
「今、もっとも勢いのあるアーティスト」であった。

どうしたら、
キミのような
高値で売れる絵を
描くことができるんだ?

友人は、微笑《ほほえ》みながら、こう言った。
「キミくらいの絵の実力があれば、
明日から、高い値段で絵が売れるようになるさ。
ここに飾《かざ》られている絵で、修正すべき点は1点だけだ」
そして、事務室に入っていって、何やら作業を始めた。
事務室から出てきた彼は、手作りの「赤い札」を、
会場の半分近くの絵の価格札に貼《は》って回った。
その赤い札には、大きな文字でこう書かれていた。
「売約済《ず》み」
ただでさえ、まったく絵が売れていないのに、
売れる絵が半分になったら、たまったものではない。
しかし彼は、なおも作業を続けた。
そして、残りの絵の値段をすべて、ケタを2つ上げた。
「絵というのは、生活に余裕がある人が、
心を潤《うるお》すために買うんだよ。それなのに、こんな
貧乏くさい値段をつけられたら、買う気なんて起こらないよ」
友人のアドバイスから1週間後、すべての絵が売れた。

絵やブランドは、値段が高いことによって、信頼《しんらい》されているんだよ。
安い値段で買った絵を、金持ちが、自宅の立派なリビングに飾《かざ》りたいと思うかい？
売約済み
売約済み
¥30,00

第71話

選択話法

営業成績《えいぎょうせいせき》は抜群《ばつぐん》だが、恋愛には奥手《おくて》な男がいた。
意中の女性がいるというのに、
なかなか一歩を踏《ふ》み出《だ》せない。
そんな彼に、恋愛相談をする後輩《こうはい》がいた。
後輩も好きな相手に告白できずにいるというのだが、
それは、男が思いを寄《よ》せているのと同じ女性だった。
自分と同じ女性が好きだとは知りもせず、
また、男が恋愛には奥手だとは知りもせずに、
後輩は男に相談にきたのだ。
しかし、男は、嫌《いや》な顔一つせず話を聞いて、
後輩が告白できるよう、真剣《しんけん》に後押《あとお》ししてやった。
男の恋心を知る者はみな驚《おどろ》いた。
「後輩に告白を譲《ゆず》るなんて、臆病《おくびょう》にもほどがある。
あいつは、自分の恋をあきらめて、身を引いたんだな」

しかし、しばらくして相手の女性と結ばれたのは、
なんと後輩でなく、男のほうだった。

後輩が告白するやいなや、彼は自らも告白をしたのだ。

それならば、なぜ後輩を後押しして、ライバルを増やしたのか？　――同僚に尋《たず》ねられ、彼は答えた。

「セールスの技術と同じさ。例えば『A』という商品一つだと、客は『買う』か『買わない』かで迷《まよ》う。でも『A』と『B』の二つの商品を見せられれば、『Aを買う』か『Bを買う』かで迷って、『買わない』という選択肢《せんたくし》を忘れてしまうんだよ。

実は、前から誰かが彼女に告白するのを待っていた。同時に告白すれば、どちらと付き合うかで迷って、『付き合わない』って選択肢を選びにくくなるだろ？

俺は少しでも告白の成功率を上げたかったんだ。

あの後輩に負ける気はしなかったしな」

男は、恋愛に奥手《おくて》ではあったが、

「やり手」ではあったのだ。

第72話

エコーチェンバー現象

今、俺は会社で、とあるプロジェクトに参加している。
プロジェクトでは、腹が立つことも多いけれど、
仕事とはそういうものだ、と割り切っている。
ある日、その「腹が立つこと」の90%以上をしめる、
プロジェクトリーダーが、俺を呼《よ》び出《だ》して言った。
「キミには、プロジェクトから外れてもらうことにした。
理由は、言わなくてもわかるだろ？
キミがいると、プロジェクトの和が乱《みだ》れるんだ」
とうとう俺の堪忍袋《かんにんぶくろ》の緒《お》が切れた。
俺は、日頃、プロジェクトメンバーの皆が言っていることを、
ストレートにぶつけた。
「あなたは、現場のことがわかっていない。
プロジェクトの皆が、毎日のように、あなたの悪口を
俺に言ってくる！　あなたは、その現実がわかっているのか！」

俺は、あなたのことを信じていたんだ。
でも、もう誰もあなたのことを信じちゃいない！
俺だって同じだ！

「そのことなんだがね……」

興奮状態《こうふんじょうたい》の俺とは対照的に、リーダーは冷たい口調で切り出した。

「キミは、誰から私の悪口や不満を聞いたんだね？」

「皆ですよ。プロジェクトのメンバー全員が、あなたに関する悪い噂話《うわさばなし》をしてるんです。俺だって信じたくはなかったけれど、皆が言っている。それを聞いて、俺だって認めざるを得なかった」

リーダーは、困《こま》ったような顔をして続けた。

「私は、皆に聞いて回ったよ、誰からそんな噂話を聞いたのかってね。そしたら、皆がキミの名前を挙げたよ。誰かが言っていたな。最初、キミは、『これは俺の妄想《もうそう》かもしれないけど』って言ってたそうだね。でも、誰かがそのことを話題にしたときに、キミは、自分が話の発端《ほったん》だということを忘れて、『それ本当か？　実は俺もそう思っていたんだ』と言ったそうだね……」

すべての出発点は
キミなんだ。
それなのに、キミは、
そのことを忘れて、
皆が言っている、と
思い込んでしまったんだよ。
さながら、狭《せま》い反響室《はんきょうしつ》で、
自分の声が跳《は》ね返《かえ》ってきたのを、
ほかの人の声と、
勘違《かんちが》いしてしまったような
ものだろうね。
SNSなんかで、
自分と同じような意見ばかり
見ていると、
それ以外の考えが
間違いのように思える。
この会社をやめても、
そのことに注意して
生きていきたまえ！

第73話

回帰の誤謬《ごびゅう》

その編集者は、自分が編集担当した本の売れ行きが、気になってしょうがなかった。

だから、自分が作った本の売れ行きを、オンラインのPOSデータでチェックするのが習慣になっていた。

そのPOSデータは、全国の書店での本の売れ数が、1分ごとに更新され、実数を把握《はあく》することができるのだ。

そんな熱心なリサーチ活動が功《こう》を奏《そう》したのか、その編集者は、あるときヒット書籍《しょせき》を作ることに成功した。

編集者が、パソコンでPOSデータを見るごとに、売れ数は、どんどん増えていく。

ふつうの本の場合、そんなに売れ数のカウントが増えるわけではないが、そのヒット商品は違った。

「これがヒットしているってことなんだな」

編集者は、ヒット書籍を作った喜びを噛《か》みしめていた。

それから数ヵ月後、ヒット書籍の売れ行きも、
だんだんと落ち着いてきた。

あるとき、編集長が、あのヒット書籍を作った編集者のデスクのそばを通りかかったとき、編集者はパソコンで、POSデータを開いていた。

それから、編集長が何度か通りかかったとき、やはり編集者は、パソコンでPOSデータを見ていた。

編集長が、やや呆《あき》れたような口調で言った。

「そんなに何度もPOSデータを見ても、数字なんて、大して変わらないだろ？　そんなことより、この頃、仕事が進んでいないぞ。さっさと終わらせてくれよ」

そう言われた編集者は、むっとしたように答えた。

「あの本が売れたとき、私がPOSデータを開くたびに、数字はどんどん増えていったんです。つまり、私が、データを何度も何度も開けば、そのたびに、売れ行きの数字は伸《の》びるんです！　仕事の邪魔《じゃま》をしないでください」

私がPOS画面を開くたびに、数字は増えています。私のPOSデータのチェック回数と、売れ行きが連動している証拠《しょうこ》です
売れ行きがいいときに、数字が増えるのは、当たり前のことだろ。キミがチェックした回数なんて、何も関係ないよ

第74話

オンライン脱《だつ》抑《よく》制《せい》効果

ある日、人間界を観察していたプロメテウスのもとに、ゼウスの伝令役のヘルメスがやってきて、こう伝えた。

「ゼウスは、人間たちに厳《きび》しい試練を与《あた》えすぎたことを反省している。

だから、これから、選ばれた人間たち――特に、各界のリーダー達の願いごとを聞いて回るそうだ」

プロメテウスは嫌《いや》な予感がした。

「ゼウスは、各国、各界のリーダーたちの相反《あいはん》する『願いごと』を叶《かな》えることで、人間の世界を混乱に陥《おとしい》れようとしているのかもしれない」

プロメテウスの心配をよそに、各リーダーたちのもとに、オンライン上で、ゼウスから連絡があった。

その連絡には、疑問《ぎもん》を抱《いだ》かせない力があり、各国、各界のリーダー達は、自分の「願いごと」を書いて送った。

お前は選ばれた人間だ。
お前の願いごとを、ここに記すべし。
そうすれば、お前の願いごとは、
必ず成就《じょうじゅ》するだろう。
その願いがお前のものだということは、
ほかの人間たちに知られることはない。

プロメテウスの心配は、杞憂《きゆう》に終わった。

特に、その後、世界が混乱するような出来事が起こることはなかった。

ゼウスが言った「願いごとを叶《かな》える」は、口先だけのことで、実際には何をするつもりもなかったのか、各国、各界のリーダーたちが、「現状維持《いじ》」を望んだのか、そのときのプロメテウスには、わからなかった。

しかし、半年後のある日、全世界の新聞やテレビで、とんでもない怪文書《かいぶんしょ》が発表された。それは、「各国、各界リーダーたちの『願いごと一覧』」と題されたもので、彼らが匿名《とくめい》で、「どんな願いをゼウスに頼んだのか」が記されていた。

とある大国の大統領は「世界中の美女を自分のものにする」ことを願っていた。とある富豪《ふごう》は、「貧富《ひんぷ》の差がさらに拡大《かくだい》してもいいから、自分に富を集中したい」と頼んでいた。

その真偽《しんぎ》はわからない。しかしプロメテウスは、怒りに震《ふる》えた。

同時に、憐《あわ》れな人間と、その人間を信じる自分に涙《なみだ》した。

第75話

両面提示《りょうめんていじ》の法則

ある技術者の男が、
すばらしく高性能な小型のパソコンを開発した。
あらゆる点において、類似製品より優《すぐ》れている。
それでいて、量産にかかるコストも、
他の製品よりも低く抑《おさ》えられる。
男は、そのパソコンを量産するための会社をつくり、
何一つ欠点のない究極《きゅうきょく》の製品として、
そのパソコンを発売した。

そのパソコンは、大ヒットして瞬《またた》く間《ま》に市場を席巻《せっけん》――
という、男の予想に反して、あまり売れなかった。
むしろ、男のパソコンと比べて、
「性能は同等に近いが、はるかに価格が高い製品」や、
「価格は同じくらいだが、圧倒的に性能が劣《おと》る製品」
のように、なんらかの欠点をもつ
他社の新製品のほうが、より売れたのだ。
「これは値段が高いけど、高性能なんだな」
「こっちは性能が劣《おと》っているけど、その分、安いね」
などと言っているお客を、男は店頭で見かけた。
男の開発したパソコンは、
「性能もいいし、値段も安い？　何で？
いいことだらけって、なんか怪《あや》しいなぁ……」
などと評されていた。
長所だけでなく、短所も提示《ていじ》されると、
人間は、そこに誠実《せいじつ》さを感じて安心するらしい。
欠点が一つもない――。
それが男のパソコンの最大の欠点だったのである。

第76話

ウーズル効果

ある男が、1枚の絵を手に入れた。
俳優《はいゆう》をしている友人が、死の直前に譲《ゆず》ってくれた絵だ。
男は、その絵に見覚えがあった。
友人が、テレビや雑誌の取材で、その絵を、
「自慢《じまん》のコレクション」として紹介しているのを、
何度も見たことがあったからだ。
改めて確認してみても、有名な画家の作品だと、
多くの雑誌で紹介されている。
間違いない。売ればかなりの値がつくだろう。
それから男は、より高値で売れるよう、
専門家に依頼《いらい》して鑑定書《かんていしょ》をつけることにした。
絵を鑑定した専門家は言った。
「こちらの絵は、間違いなく本物です」

「こちらの絵は、たしかに贋作《がんさく》ではありません。
……ですが、あなたが提示《ていじ》するような額では
引き取ることはできません」
鑑定士《かんていし》の言葉の意味が、男にはわからなかった。
「……つまり、あなたが言う、
有名画家の絵ではないということです」
「どういうことだ？　テレビや雑誌の取材でも、
そういうふうに紹介《しょうかい》されていたぞ？」
「私も、そのことは存じております。
おそらく、誰かが、よく調べもせず、
『作者はその画家だ』と言ったのを、
何の検証《けんしょう》もせずにさまざまな人が引用していくうちに、
『みんながそう言っているから、そうなのだろう』
と、事実として扱《あつか》われるようになってしまったのでしょう。
あなたが、『色々なところで、そう紹介されている』と、
信じてしまったのと同じように……」

ただ、これは、贋作《がんさく》ではありません。
無名の画家の、「大して値がつかない絵」というだけで、
その画家の作品としては、間違いのない「本物」なんですよ

第77話

ツァイガルニク効果

「すまない、ちょっと先にやってもらいたい
仕事があるんだが、いいかな?」
上司に声をかけられて、部下は嫌《いや》な顔をした。
今、手がけているこの仕事に集中したいのに、
この上司は、いつも割り込むように
仕事をねじこんでくる。
それも、「自分でやれよ」と言いたくなるような
小さな仕事ばかりだ。
その度に仕事を中断される身にもなってほしい。
こんなことしていたら仕事の能率《のうりつ》が
下がってしまうと、わからないのだろうか?
部下はみんな上司に不満を感じていた。

しかし実際には、その上司の部署《ぶしょ》は、会社で一番能率《のうりつ》よく実績を上げていた。

部下たちはそのことに驚《おどろ》いたが、思い返してみれば、仕事を中断させられることで、「早く押しつけられた仕事を終わらせたい」という気持ちが高まり、いつもより、集中して取り組んだ気もする——。

それに、元々やっていた仕事に対しても、「早くあの仕事に戻《もど》って続きをしたい」と、モチベーションも高まった。

「人間は、中断している事柄《ことがら》ほど気にかかり、強く意識するものだ」

それが、上司の口グセで、上司はそうやって部下のモチベーションをコントロールしていた。

実際には、上司は、「人間の心理」というものを誰よりも、よくわかっていたのだ。

第78話

フォン・レストルフ効果

さまざまな人気ゲームを開発する企業の面接に、経営者の、多数の就職《しゅうしょく》希望者が集まった。その企業は、

「直接話をしないと、人となりはわからない」

というポリシーから、すべて選考を面接で行った。

結果、多くの面接官の記憶《きおく》に残った一人の学生が採用され、4月から、その企業で働き始めることになった。

しかし、その新人社員は、配属された職場で、あまりよい評判を得られなかった。

「なんで、あんな新人を採用《さいよう》したのかな？

そもそも、彼、『第一志望は、科学分野の研究職』とかって言ってたしなぁ……」

人事部が、面接を担当した社員らに、
「なぜ、あの新人の高評価をつけたのか」を聞いて回った。
皆《みな》、口をそろえたように、同じことを言った。
「面接で高評価をつけたのは確かなんだけど、
実は、あの新人の名前も覚えてないんだよね。
面接に来た学生たちは、全員、とてもクリエイティブで
優秀だったけど、だから逆《ぎゃく》に、誰も記憶《きおく》に残らなくて、
結局、『ゲーム業界』っぽくない、
なんか場違いな感じの、あの学生だけが印象に残って……。
それで、『高評価』をつけたんだ。うちの会社を受けに来て、
『科学者になりたい』っていうのも面白かったし……」

どんなに優れたものでも、似《に》たようなものが多数ある時、
それらは記憶に残らず、
むしろ、「場違いなもの」のほうが、
それだけの理由で印象に残ってしまうことがある。

第79話

スタンダール症候群《しょうこうぐん》

「一目でいいから、あの絵画を見たい」と言って、
その古い聖堂《せいどう》を訪れる者は少なくなかった。
芸術的で荘厳《そうごん》な雰囲気《ふんいき》をまとった絵だ。
映像や印刷物《いんさつぶつ》では、あまり伝わってこないが、
その絵を前にすると、誰もが神秘性《しんぴせい》に圧倒され、
軽いめまいを覚えたり、
ときに幻覚《げんかく》を見たりさえするという。
そんな神秘《しんぴ》に触《ふ》れることを求めて、
世界中から人々が集まるのだ。
この絵の神秘性は、どこから来るのか。
構図か、筆のタッチか、それとも色彩か……。
芸術に携《たずさ》わる誰もが、その秘密を知りたがった。
そしてとうとう、
徹底的《てっていてき》な調査が行われることになった。

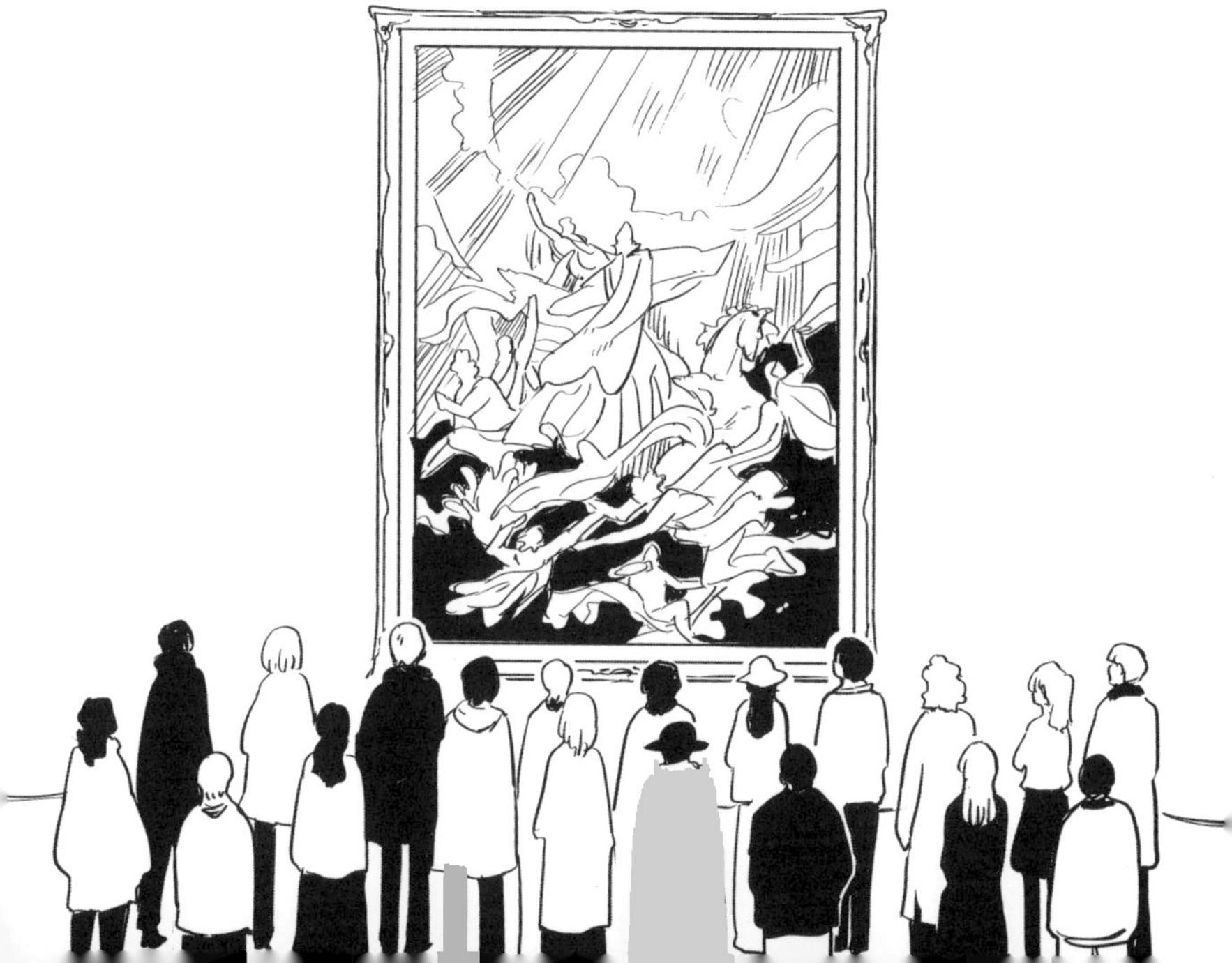

色の明度、彩度、絵の具の起伏《きふく》、構図の組み立て、様々な角度から絵は計測され調べられた。

そしてその結果、重大な事実が判明《はんめい》した。

なんとその絵に使われた絵の具から、ある種の麻薬成分が検出《けんしゅつ》されたのだ。

絵が描かれた当時、ある地域では、顔料として、その成分を含《ふく》む植物が使われていたらしい。

めまいや幻覚《げんかく》を引き起こす絵の神秘性《しんぴせい》は、描写の芸術性などではなく、見た人がただ、麻薬成分を嗅《か》ぐことで生まれたものだったのだ。

毒性《どくせい》は低いが、体への万が一の深刻《しんこく》な影響《えいきょう》を懸念《けねん》し、その絵の公開は制限《せいげん》されることとなった。

それでなくとも、真実が暴かれ神秘性を失った絵を見に来る者は、もはやいなくなっていた。

神秘を神秘のままにしておかなかったことを、人々は後悔《こうかい》せずにはいられなかった。

第80話

ゴルディロックス効果

ある食品メーカーの商品開発者が悩《なや》んでいた。

冷《れい》凍《とう》スイーツを開発したのだが、どうしても1種類だけ、売れ行きが悪く、在庫がたくさん残っているのだという。

相談を受けた同期入社の友人が言った。

「今度、中央公園でフードフェスがあるだろ？

そこに3種類だけ、スイーツを持って行って、
お客さんが選べるようにしたらどうかな？

で、そこに、その在庫になっているスイーツをまぜておくんだよ」

開発担当者は、心の中で思った。

「今までだって、店頭で選べたんだよ。

それでも在庫になっていること、わかってないのかな？

彼、研修中は、とても優秀に思ってたんだけど、
やっぱり研修と実際の仕事はちがうのかなぁ……」

しかし、開発担当者の予想に反して、
在庫になっていたスイーツは飛ぶように売れた。
同期の友人は、同時に、
こんなこともアドバイスしてくれていたのだ。

「3種類のうち、ほかの2つは、在庫商品より値段が高いものと、安いものにしたらいいと思う。
それで、それぞれを『①・②・③』とかじゃなく、『松・竹・梅』っていう名称にするんだ。
3つの選択肢があって、それぞれランクが違っている場合、圧倒的《あっとうてき》に真ん中のランクが選ばれるからね」

それは、「ゴルディロックス効果」と呼ばれるらしい。

「選択肢《せんたくし》は横に並列的にじゃなく、『上・中・下』みたいにタテに並べるとお客の心理をコントロールしやすいと思うよ」

第81話

決定回避《かいひ》の法則

カフェで、2人の女性が話をしていた。

「先輩、ため息なんかついて、どうしたんです？」

「実家の親が、そろそろ結婚《けっこん》しろってうるさいのよ」

「えー、まだ早くないですか？」

「価値観が古いのよ。一度に何枚もの写真とプロフィールが送られてくるの。それが、毎月！　たぶん、今までに見せられた数って、100枚以上だよ」

「それ最悪ですね」

「初めの頃は、ちょっとは見てたけどさ、あんなに数があると、選ぶどころか、もう結婚について考えるのさえ、嫌《いや》になるわ」

やれやれと先輩である女はため息をついた。

「あなた、また写真とプロフィールですか？」
娘に送るための準備をしている男に、
妻《つま》が呆《あき》れたように言った。
「当然だ。あいつに結婚は、まだ早いからな」
「あの子が嫁《とつ》いでしまうのが寂《さび》しいだけでしょ。
それに、その写真もプロフィールも、
全部、ニセモノなんでしょ。そこまでする？
そもそも、あなたが思うような効果なんてあるの？」
「人に何かをやめさせたいなら、頭を使わんとな。
例えば、選択肢《せんたくし》が多すぎると、わずらわしくて
人は選んで決めること自体を放棄《ほうき》してしまう、
という心理効果がある。
つまり、結婚相手の選択肢が多すぎると、
相手を決めて、結婚することもやめたくなるわけだ」
「またテレビで聞きかじった知識を信じて……。
あの子に嫌《きら》われても知りませんよ」
得意げに話す男に、やれやれと妻はため息をついた。

第82話

事後情報効果

夜道で人が刺殺《しさつ》される事件が起きた。
1人の女性が犯行《はんこう》を目撃《もくげき》していたが、
現場が暗かったこともあり、
証言《しょうげん》はハッキリしない部分も多かった。
「犯人の背丈《せたけ》は、どのくらいでしたか？」
「背丈ですか、ええと、その、多分……」
「現場付近を、大柄《おおがら》な男性が逃《に》げるように
走っていたという情報もあるのですが……」
警察官の言葉に、目撃者の女性は記憶《きおく》を探る。
「ああ、確かに、犯人は大柄だったような……」
「本当ですか！　その男は髪《かみ》が長くてボサボサだった
らしいんですが、もしかして……」
目撃者の記憶が、だんだんとハッキリしてくる。
「きっとそうです！　それが私の見た犯人です！」

それからしばらくして、目撃者《もくげきしゃ》の女性は、
訪ねてきた刑事に、犯人が捕《つか》まったと聞かされた。
自分の証言《しょうげん》が役に立ったのだと女性は喜んだが、
刑事の言葉を聞いて、体が固まった。
「犯人は、実はあなたから目撃者証言を聞いた、
あの警察官《けいさつかん》だったのです」
女性は、わけがわからなかった。
「で、でも、あの人は小柄《こがら》だし、ボサボサの髪《かみ》でも
ありません。私の見た男とは似《に》ても似《に》つきませんよ」
警官はうなずいて答えた。
「……人は後から聞いた情報に合わせて、
自分の記憶を変えてしまうことがあるんです。
彼はあなたの記憶があいまいなのをいいことに、
自分とかけ離《はな》れた人物の情報を与《あた》えて、
あなたの記憶を誘導《ゆうどう》し、
存在しない人物を見たと思い込ませたのですよ。
自分に捜査《そうさ》が及《およ》ばないようにするためにね」

第83話

カメリアコンプレックス

男の職場《しょくば》には、いつも顔や体に
生傷《なまきず》や青あざが絶えない女性がいた。
「夫から暴力《ぼうりょく》を受けている」ともっぱらの噂《うわさ》だった。
やせぎすで、昼休みも食事を抜いていることも多い。
給料を夫にとられて、昼食代すらないらしい。
「何とかして、彼女を助けたい」と彼は思っていた。
相談に乗ろうとしても、夫が怖《こわ》いのか、
彼女は進んで話そうとせず、はぐらかされてしまう。
しかし、日に日に増える青あざを見ると、か弱い彼女を
守るのは、自分の責任だと男は感じるようになった。
そんなある日、彼女がニヤついた表情の男に肩《かた》を抱《だ》かれ、
薄暗《うすぐら》いビルに連れ込まれるところを彼は見た。
「彼女を離せ！」
思わず叫《さけ》んで、彼はその男にとびかかった。

次の瞬間《しゅんかん》、彼は殴《なぐ》り飛《と》ばされた。
彼を殴ったのは、彼が助けようとした同僚《どうりょう》の女性だった。
「あれ？　あなたは!?　なんで、こんなところに？
それより、す、すみません……」
女の鋭《するど》いパンチを受けて彼は呆然《ぼうぜん》としていた。
「い、痛かったですよね。
実は、私、ボクシングをやってて……。
顔や体の傷もそのせいなんです。
変な噂《うわさ》が立っているのは知ってたんですけど、
会社にも内緒《ないしょ》にしているから、言えなくて……。
あっ、今日は、トレーナーの夫と一緒に、
ジムに来たんです。このビルの中にあって……
でも、何で急にとびかかってきたんですか？」
「いや、だ、大丈夫《だいじょうぶ》！　ごめん、偶然《ぐうぜん》見かけて、
ちょっと驚《おどろ》かそうとさ。ハハハ……」
守るべきか弱い女性、そう思っていた相手の、
意外な強さに、男は笑うしかなかった。

第84話

実験者効果

その科学者は、超能力を信じていた。

「超能力をあざける者もいるが、人間にはまだ隠《かく》された力があるはずだ」

それが、その科学者の口グセだった。

そこで彼は、ある実験を行った。

超能力の素質があると思われる子どもたちを集め、白いカードの中から、☆印のついたカードを当てさせる、というものだ。科学者と子どもが対面に座《すわ》り、カードを目の高さに掲《かか》げる。科学者には、☆印の有無はわかるが、子どもたちには、カードのウラ面しか見えないので、☆の有無はわからない――はずだった。

しかし、科学者は、実験の結果に驚愕《きょうがく》した。

すべての子が100％の確率で、マークのついたカードを当てたのだ。

マークのついたカードを当てるのに、実は超能力など必要なかった。
超能力があってほしいと願うあまり、
科学者の気持ちが、表情に、にじみ出てしまっていたのだ。
☆印が描かれたカードを
子どもたちが引こうとすると、科学者の顔は、
「そのカードを引いてくれ～！」と、
祈《いの》るような、懇願《こんがん》するような表情になる。
その表情は、いやがおうにも、
子どもたちの視界に入ってくる。
逆にそのカードを引くのをやめようとすると、
科学者の表情は、泣き出しそうにも、
怒りに震《ふる》えるようにも見える表情になる。
子どもたちは、そのカードを引くしかなかったのだ。

実験者の思いや期待を、「実験のプロセス」から
すべて排除《はいじょ》することは難しい。
それは「実験の結果」からも同様である。

第85話

確証バイアス

ダヴィデ像を制作中《せいさくちゅう》のミケランジェロのもとに、
像の発注者である、町の権力者が訪れて言った。
「この像、ちょっと鼻が高すぎないか？
これまで私が見てきた、美しく、そして勇敢《ゆうかん》な男は、
皆、もう少し鼻が低かったぞ。
もっと鼻を低くしてくれ！　これは命令だ」
すると、ミケランジェロは、黙《だま》って作業台に上って
ノミをふるい始めた。ダヴィデ像は、巨大《きょだい》な像だから、
高い足場台に乗って作業をしなくてはいけないのだ。
権力者の頭上に、砕《くだ》けた大理石がパラパラと降《ふ》ってくる。
修正されたダヴィデ像の鼻を見て、
権力者は、満足そうにうなずき、帰っていった。

その光景を見て、弟子たちは不思議《ふしぎ》に思った。
「美」に、絶対的な自信をもつミケランジェロが、
権力者に言われたくらいで、
自分の作品を修正するなんて思えなかったのだ。
そんなミケランジェロだからこそ、尊敬《そんけい》もしていたのだ。
「先生、なぜあんな素人《しろうと》の言うことに従うんですか!?」
すると、ミケランジェロは、表情を変えずに言った。
「従う? 私が、あの作品を修正するわけないだろ?
こうやって、手の中に隠《かく》していた石片《せきへん》をまいただけだ」
ミケランジェロは、手の中に隠しもっていた
大理石の破片を、ノミをふるうフリをしてまいたのだ。
「『これまで私が見てきた』なんていう人間は、
自分の心の中に、『真理』をもっておらず、
『自分の見たもの』だけが、判断の拠《よ》り所《どころ》になる。
ならば、そういう人間には、『目に見える何か』を
見せてやればいい。目に見えたものさえあれば、
奴《やつ》らは、信じることができるんだからな」

削《けず》った石片《せきへん》という
目に見えるものがあれば、
奴《やつ》らは、修正された、
と信じるのさ

第86話

インパクト・バイアス

ある女子高校生が恋をして、
告白するかどうかで悩《なや》んでいた。
もし付き合えたら、どんなに幸せだろうかと思う。
でも、恋する気持ちが強い分だけ、
フラれたときの不安も大きい。
もしフラれたら、もう生きていけない気さえする。
思い悩む娘を見かねて、母親が言った。
「お母さんは、何度も失恋したけど、今も元気で幸せに
生きているわ。失恋なんて、大したことじゃないのよ。
人は未来のことを、大げさに考えすぎるものよ。
失敗したって案外《あんがい》平気よ。
勇気を出して、気持ちを伝えてごらんなさい」
母に背中《せなか》を押《お》され、女子高校生は思い切って告白した。
そして見事、彼女の恋は成就《じょうじゅ》したのだった。

見事、彼女の恋は成就《じょうじゅ》した——。
しかし、彼女は相変わらず、
悩《なや》まし気《げ》なため息ばかりついている。
「お母さんが言ったことって、本当だったわ」
心配する母に、娘は言った。
『人は未来のことを、大げさに考えすぎる』って。
あれってマイナス面だけじゃなくて、
きっとプラス面の話でもそうなのよね。
彼と付き合えたら、
毎日がバラ色みたいになるだろうって
考えてたけど、
なんか思ったより、たいしたことないし、
ちょっと面倒《めんどう》になっちゃった。
もう別れちゃおっかな。
どうせ喪失感《そうしつかん》もたいしたことないだろうし」
告白前の様子から、180度変わった様子の娘に、
母は「やれやれ」とため息をついた。

第87話

囚人《しゅうじん》のジレンマ（ゲーム理論）

マフィアの幹部2人が逮捕《たいほ》され、別々の部屋で、同時に「マフィアのボスの正体」についての取り調べが行われることになった。

しかし、ふつうの取り調べでは、自白するわけがない。

そのため、それぞれに対して条件を出すことになった。

それは、3日間、①2人とも黙秘《もくひ》すれば、2人とも懲役《ちょうえき》1年、②1人が自白し、もう1人が自白しなかったら、自白した者は無罪、黙秘した者は懲役10年、③2人とも自白したら、2人とも懲役5年、という条件だった。

これは、「囚人のジレンマ」と呼ばれるもので、「2人が協力すれば最善の結果が得られるのに、裏切られたときに最悪の結果になるため、自分の利益のために動いてしまう」というもの。

警察は、この方法で自白させようとしたのだ。

囚人1 ＼ 囚人2	黙秘	自白
黙秘	両者とも懲役1年	囚人1は懲役10年 囚人2は釈放
自白	囚人1は釈放 囚人2は懲役10年	両者とも懲役5年

この条件なら、2人も黙秘すればいいってことになりませんか？これで自白しますかね
でも、もう1人が裏切って自白したら、自分は最悪の結果になるんだぞ。
俺は、絶対に自白すると思うがね

結果は、すぐに出た――。

別々の部屋で取り調べをはじめた幹部2人に、この条件を告げた瞬間《しゅんかん》、2人とも、すぐに自白――マフィアのボスの正体を明かしたのだ。

2人は、警察と秘密裏《ひみつり》にかわされた条件にしたがって、別々の刑務所で、5年間服役《ふくえき》することとなった。

若い刑事は、ベテラン刑事に、驚《おどろ》いた表情で言った。

「本当に、予想通りになりましたね……」


それから5年後――。刑務所から出所した幹部2人が、こっそりと、とある場所で会っていた。

「お前なら、俺と同じことを考えてくれると思っていたよ」

「あのとき、2人とも黙秘を貫いて、1年で出所してしまったら、ボスは俺たちが裏切って早く出所したと思っていたはずだ。そうなれば、俺たちは消されただろうな」

「どちらか片方だけが黙秘した場合も同じだ。自白したほうがすぐに釈放されて同じ目に遭《あ》っていただろう」

1人だけが釈放《しゃくほう》されることは避《さ》けたかった。ボスに狙《ねら》われることになるからな。
お前なら、俺と同じことを考えてくれると信じていたよ
あの選択肢の中では、2人が5年間服役する、という選択肢《せんたくし》しかなかったよ。
5年も服役すれば、ボスも俺たちが自白したなんて思わないだろうし、
そもそもボスは、警察との銃撃戦《じゅうげきせん》で命を落としたから、もう大丈夫《だいじょうぶ》だ

第88話

画像優位性効果

予備校の講師が、教室に集まった受験生に言った。
「断言するけど、受験は、根性論じゃ乗り切れないよ。
どうすれば、モチベーションを保てるか、
スケジュール管理できるか。社会人になるための
ビジネスのトレーニングだと思ったほうがいい」
そして全員の顔を見渡して言った。
「具体的な暗記法なんかもそう。
ただ文字をにらんでも、覚えられない。
心理学には、『画像優位性効果』という考えがある。
文字情報よりも、『画像』のほうが、
たくさんの情報を、長く記憶できるんだ。
だから、僕の授業では、オリジナルの図解プリントを使う。
このプリント、とても重要だから、
もっていない人は必ず買ってね」

脳科学からのアプローチも重要だよ！
人間の脳って、結局、ＰＣと同じなんだから、ＰＣを扱《あつか》うつもりで、自分の脳を操作して！

翌日、生徒が待つ教室に入った予備校講師は、ぎょっとした。

生徒たち全員がサングラスをかけていたからである。

そのことを不思議に思った講師が、1人の生徒に質問した。

「キミたちは、なぜ全員サングラスをかけているんだ?」

すると生徒は、逆に不思議そうな表情を見せて答えた。

「昨日、先生が、『自分の脳《のう》をPCのように操作しろ』と言ったからですよ」

その意味をはかりかねる講師に、生徒は続けた。

「カラー画像のほうが、メモリーを多く使うんじゃないですか?

そうすると、脳の動きが鈍《にぶ》くなってしまいますよね?

だから、サングラスをかけて、画像を白黒化しよう思ったんです」

それと、みんなで話したんですが、先生、授業中は、動かないでいただけますか?
それだと、脳の中の記憶が、「動画」化されて、さらにメモリーを使いそうなので……
いや、そもそも、先生はいなくていいかも

第89話

ラプラスの悪魔《あくま》

――「神はサイコロを振《ふ》らない」（意訳：すべての事象は、物理法則によって支配されており、それがわかれば、森羅万象《しんらばんしょう》をひもとくことができる）

少年は、アインシュタインのその言葉を知り、科学者になることを決めた。

過去、現在、未来、この世に起こるあらゆることは、「神」とも言うべき、科学法則によって決められている。

その法則を探求したいと考えたのだ。

しかし、どんなに謎《なぞ》を研究しても、科学者――かつての少年は真理にたどりつけなかった。

そして、科学者は、悲しみの中でこの世を去った。

私が生まれてきたことにも意味があるに違いない。真理を知りたい
神の定めた法則を知らぬまま、私は、この世を去らなければいけないのか……

息をひきとった科学者を見つめながら、
プロメテウスはつぶやいた。
「農耕《のうこう》の神はクロノス、芸術の神はアポロン……。
神々の世界も分業制で、
『全知全能の神』と言われているゼウスだって、
妻《つま》であるヘラへの謝り方ひとつも知らず、
できないことだらけだ。
すべての事象をコントロールする『法則』なんて、
ありはしないのに……」
そしてプロメテウスは悲しそうに笑った。
「それに、仮《かり》に、そんなものがあったとして、
それを知って楽しいものか。
それを知らずにいられるのが、
人間の幸せだろうに」

人間は知らないんだろうか。
知性や科学の神であるヘルメスは、一方で、「賭《か》けごと」の神でもあるのにな
神なんて、サイコロを振《ふ》ってばかりだよ

第90話

不気味の谷現象

ロボットを研究、開発する企業で、
先輩社員に後輩が質問した。

「センパーイ、人間に好かれるロボットを開発するために気をつけなきゃいけないことって、なんすか?」

――どうにもむかつくしゃべり方だ。

先輩社員がイライラするのは、
そのなれなれしい態度《たいど》ではなく、同僚《どうりょう》社員に、

「あいつのしゃべり方、お前の若い頃にそっくりだな」

と言われることだ。

先輩社員は、感情を隠《かく》そうともせず、強い口調で言った。

「ロボットに対する人間の感情には、

『不気味の谷現象』というものがある。

その『不気味の谷現象』ってのは……」

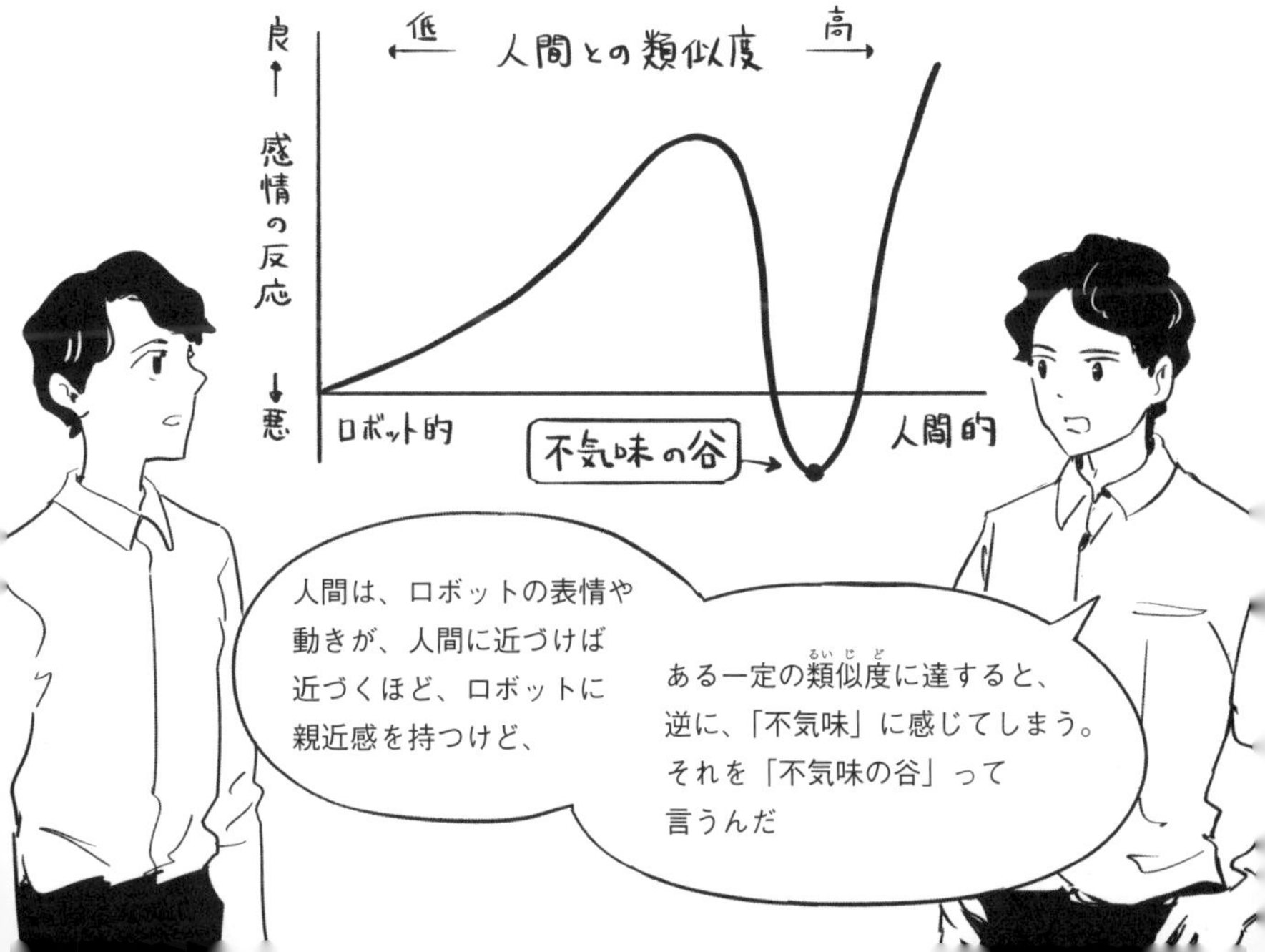

良↑
感情の反応
↓悪
←低
人間との類似度
高→
ロボット的
人間的
不気味の谷
人間は、ロボットの表情や動きが、人間に近づけば近づくほど、ロボットに親近感を持つけど、
ある一定の類似度《るいじど》に達すると、逆に、「不気味」に感じてしまう。それを「不気味の谷」って言うんだ

「でも、さらに類似度が高まると、親近感はふたたび高くなっていく……って、お前、ちゃんと聞いてんのか!?」

後輩社員を見ると、説明に飽《あ》きてしまったのか、スマホの画面を見て、ニヤニヤしている。

——自分でもわかる。こういうところ、若い頃の自分にそっくりである。

自覚したとたん、抑《おさ》えようのない憤怒《ふんぬ》の感情が起こり、先輩社員は、後輩の腰《こし》のあたりを思い切り蹴飛《けと》ばした。

すると、後輩社員の身体は上下真っ二つに折れるような形となり、内部の装置がむき出しになった。

先輩社員は、ため息をつきながら言った。

「ここが、俺にとっての『不気味の谷』だな。研究を手伝わせるために、自分にそっくりなロボットを作って改良しても、いつも、自分に似《に》てきたところで、ロボットをブチ壊《こわ》しちゃうんだよな～。あとちょっと我慢《がまん》すれば、気が合うようになりそうなのに」

なぜ、オリュンポスの神が、人間のことを嫌《きら》うのか……。
彼らは、人間に対して、「不気味の谷」を感じているのかもしれない

それみたことか

見ていたのか ゼウス
お前が人間に 火を与えた せいで……
人間は奇妙《きみょう》な 生き物になり、 世界には 災厄《さいやく》も はびこったぞ

やれやれ…
この世界の災厄《さいやく》は、私の与えた火ではなく、
あなたの画策《かくさく》によるものだろう？
！
実は、解放されたあとエピメテウス《おとうと》に会ってね…
私が囚《とら》われている間に起こったことを聞いたよ

あなたは、私を捕らえ、罰《ばつ》を与えたのち
美しい人間の女性パンドラを、
地上で暮らす弟のエピメテウスのもとに送った。
愚《おろ》かな弟は、あなたの罠《わな》と気づかず、パンドラを妻としてしまった。
そしてパンドラは、ゼウス〈あなた〉に「開けてはいけない」と言われていた箱を開け
その中の災厄《さいやく》を地上に解《と》き放《はな》った。
これによって災厄が世界に満ち人間は苦しみに満ちた世界で生きなければならなくなった。

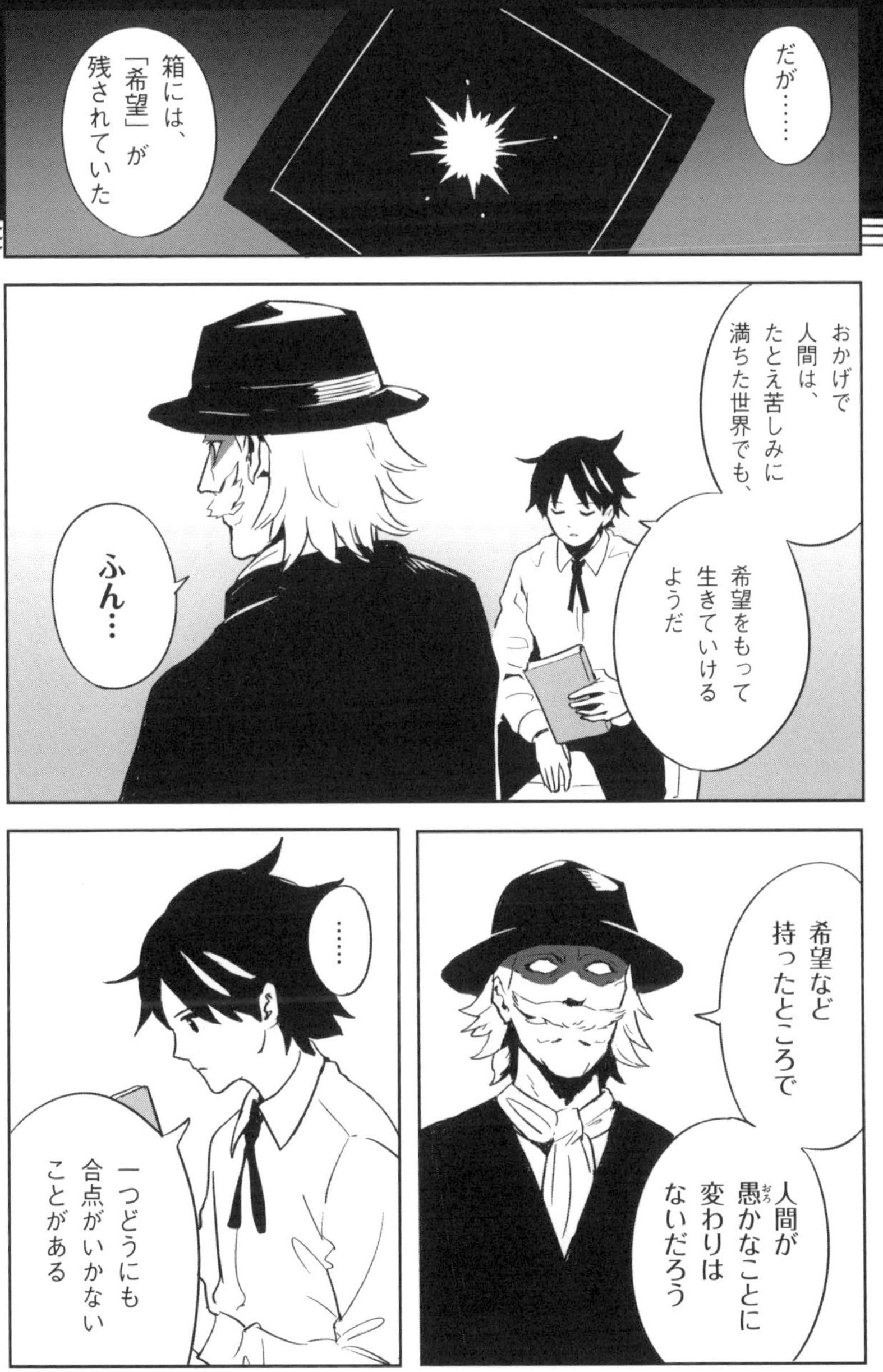
だが……
箱には、「希望」が残されていた
おかげで人間は、たとえ苦しみに満ちた世界でも、
希望をもって生きていけるようだ
ふん…
希望など持ったところで
人間が愚《おろ》かなことに変わりはないだろう
……
一つどうにも合点がいかないことがある

なぜあなたは、「希望」を箱に入れたのだ
人間を希望にすがらせ、飼《か》い殺《ごろ》しにするためか？
いや、違うな……
……
私は、解放されてから様々な人間を観察して
思い至《いた》ったことがある
？
どの人間の心も複雑で非合理的で矛盾《むじゅん》を抱えている
まるで我々神の模倣《もほう》……
例えば無垢《むく》であることを望みながら災厄《さいやく》を振りまき
希望を残すあなたのように……
言うなればば…

愛すべき、愚《おろ》か者《もの》だ
何が言いたい！
神々は
「人間」を創《つく》ったと思い込んではいるが、本当にそうなのだろうか？
ひょっとすると我々神こそが人の創造物……
正確には人の願望とともに生まれた存在なのではないか？

あなたの所業《しょぎょう》は
人間に本来の傲慢《ごうまん》さも残酷《ざんこく》さも持たせず
「純粋《じゅんすい》な存在であってほしい」という願望を押しつける、
それこそ傲慢《ごうまん》な行為だ
そして、私は
「先を見るもの《プロメテウス》」
未来への不安がゆえに、先があると信じる心が生んだ存在ではないか

馬鹿な…
それでは、我々の歴史そのものが茶番《ちゃばん》ではないか
そうだな
きっと この会話も
…!

ボロ
……!
サアアアアアアア
ボロ
……
そう
今を生きる人間が
人間を知るために

必要なのは、我々《神々》ではなかったのかもしれない
……
いずれまた会うだろう
人々が望むところで
パサ

プロメテウスの用語辞典
あるいは蛇足《だそく》のような説明

第1話　青い鳥症候群《しょうこうぐん》

現実を直視せず、「もっといいことがあるはずだ」と、根拠《こんきょ》のない幸せを探し続けること。メーテルリンクの童話『青い鳥』にちなむ。

第2話　「四つ葉のクローバー」のたとえ

四つ葉のクローバーが発生する理由は、突然変異《とつぜんへんい》である。その原因は、「人に踏《ふ》まれる」などの環境にあるとする説と、四つ葉遺伝子《いでんし》の存在によるとする説などがある。

第3話　白雪姫症候群《しょうこうぐん》

子どものころに虐待《ぎゃくたい》された経験をもつ女性が、自分が母親となったときに、自分の娘に対して虐待をしてしまう現象。「白雪姫コンプレックス」とも。

第4話　黄昏《たそがれ》効果

人間の体内リズムが不安定になる夕暮れ時は、思考力や判断力が鈍《にぶ》り、仕事でミスをしやすくなったり、告白を了承しやすくなったりするという現象。暗闇《くらやみ》の中での不安感から一体感を感じ、一緒にいる人と急速に親密になりやすくなる現象は、「暗闇効果」という。

吊《つ》り橋《ばし》効果

吊り橋の不安定感からくる心拍数《しんぱくすう》の上昇《じょうしょう》やドキドキ感を、一緒にいる人への恋心だと誤解《ごかい》してしまうように、不安や恐怖《きょうふ》を感じる時に一緒にいた人に対し、恋愛感情をもちやすくなる効果。

第5話　カニンガムの法則

「インターネットで正しい答えを得る最良の方法は、質問することではなく、間違った答えを書くことである」という法則。コンピュータプログラマーであるウォード・カニンガムの言葉から。

第6話　リンゲルマン効果

共同で作業をする人数が増えれば増えるほど、個人の能力や働きが、一人でいる時よりも低下すること。集団で共同作業をする際に起こる、各人の無意識的な「社会的手抜き」。

第7話　一貫性《いっかんせい》バイアス

他人の行動や言動に対して、過去も現在（将来）も変わらずに、「一貫性がある」と思い込んでしまうこと。

第8話　コンパッション・フェード

犠牲者《ぎせいしゃ》や援助《えんじょ》を必要とする人の数が多くなるにつれ、共感や同情心が薄《うす》れること。人の同情能力には限りがあり、それを超えると同情すること自体をやめてしまう（同《どう》情崩壊《じょうほうかい》）とされる。ほかにも、犠牲に対して生じる心理効果には「身元のわかる犠牲者効果（誰だか知らない人の危機よりも、自分と関わりがあったり人柄を知っている人の危機に対して強く反応する)」がある。

第9話 コンコルド効果
結果的に、さらに損失《そんしつ》になってしまうことが分かっていても、それまでの投資を惜《お》しんで、投資がやめられなくなる状態。フランスの超音速旅客機コンコルドの開発におけるビジネス的失敗に由来する。「サンクコスト効果」「埋没《まいぼつ》費用効果」とも。

第10話 ロミオとジュリエット効果
恋愛などにおいて、反対されたり、障害があるほど、気持ちが高まるという現象。敵対する家に生まれた恋人たちの悲恋《ひれん》を描いたシェイクスピアの戯曲《ぎきょく》『ロミオとジュリエット』にちなむ。

第11話 ミネルヴァの梟《ふくろう》は黄昏《たそがれ》に飛び立つ
ドイツの哲学者ヘーゲルの言葉。ミネルヴァはローマ神話の知恵の女神で、「ひとつの時代が終わってから、その時代の精神《せいしん》を表す哲学が形成される」など、さまざまに解釈《かいしゃく》される。

第12話 ディドロ効果
消費者の心理の一つ。新しく購入したものに合わせて、身の回りのものを一新したり、統一したりしたくなること。モデルルームやマネキンなどに応用されている。

第13話 曖昧《あいまい》さ回避《かいひ》
リスクの程度や確率が不確実な状況で選択することを避《さ》けたり、未知のものや不確実なものを選ばないようにする傾向《けいこう》。「不確実性の回避」、あるいは研究者の名前から「エルスバーグのパラドックス」ともいう。

第14話 過剰《かじょう》正当化効果
趣味や純粋《じゅんすい》な楽しみとして内発的

な動機で行っていた活動に、「報《ほう》酬《しゅう》」などの外発的な動機づけが与えられることで、むしろモチベーション自体が低下し、活動を楽しめなくなる心理現象。「アンダーマイニング効果」ともいう。

第15話
ピーターの法則
能力主義の階級組織においては、皆、自分の能力の限界の地位まで出世することになる。その結果、組織のあらゆる階層は、「(それ以上は出世できない)無能な上司」ばかりになってしまうという法則。

第16話
ダニング＝クルーガー効果
能力の低い人や経験の浅い人が、(それゆえに)自分の能力を正しく評価できず、自分を過大評価してしまうという認知バイアス。「優越《ゆうえつ》の錯覚《さっかく》」ともいう。逆に、仕事の難易度《なんいど》を客観的に見られる人が、そのすぐれた能力ゆえに、自信を失うこともある。

第17話
ニーズィーとルスティキーニの実験
イスラエルの経済学者らが、保育所で行った実験。問題を解決するためには「罰金《ばっきん》を課《か》すこと」が有効だと考えられているが、それが本当かを検証するために行われた。

第18話
オペラント条件づけ
報酬《ほうしゅう》や罰《ばつ》に適応《てきおう》して、自発的にある行動を行うように学習するという行動心理学の理論。似《に》たものに「パブロフの犬」で知られる古典的条件づけがあるが、こちらは自分の意思でコントロールできない行動と、無関係な反応を結びつけるもの。

第19話
損失回避《そんしつかいひ》の法則
人間は「利益を得る」ことよりも、「損失を避《さ》ける」ことを優先して行動しやすいという心理法則。行動経済学における「プロスペクト理論」で説明された、3つの概念の一つ。ほかの2つは、「参照点《さんしょうてん》依《い》存性《ぞんせい》(絶対的にではなく相対的に評価する)」と「感応度逓減性《ていげんせい》(分母が大きくなると鈍感《どんかん》になる)」。

第20話

ザイオンス効果（単純《たんじゅん》接触《せっしょく》の原理）

特定の人物や物事に繰《く》り返《かえ》し接すると、好感度が高まり、興味や好意をもつようになるという心理効果。音や味、におい、場所、図形や文字などに対しても起こる。ただし、10回が効果の限界ともいわれる。

第21話

バーダー・マインホフ現象（頻度《ひんど》錯覚《さっかく》）

新しく見聞きしたものを、その後、何度も目にするようになる現象。一度強く意識すると、それがきっかけになり、以後、目につきやすくなる。「頻度錯誤《さくご》」ともいう。

第22話

コントロール幻想《げんそう》

本来その人がコントロールできることではないにもかかわらず、「自分が（その結果に）影響《えいきょう》を与《あた》えた」と思い込んでしまう認知バイアス。人間は、自分の力で何かをコントロールできると幸福を感じるので、リストでタスク管理をする際などには、コントロール幻想をポジティブに応用することができる。

第23話

スタンフォードの監獄《かんごく》実験《じっけん》

スタンフォード大学で行われた、心理学の有名な実験。「特殊《とくしゅ》な肩書《かたが》きや地位を与えられた人が、その役割に合わせて行動する」ことを証明しようとして行われたが、さまざまな問題が発生し、中断した。現在では、実験そのものが厳密でなく、信頼性に欠けるものだとする批判《ひはん》もある。社会心理学を代表する実験であり、権威者《けんいしゃ》に従う人間の心理を研究するために行われた、「ミルグラム実験（アイヒマンテスト）」に関連する実験の一つとされる。

第24話

パーキンソンの法則

イギリスの歴史・政治学者パーキンソンによって提唱《ていしょう》された法則。コンピュータ分野でも、集積回路あたりの部品数が2年ごとに2倍になると予測した「ムーアの法則」に応用されている（コンピュータのデータ量は、その記憶容量を満たすまで膨張《ぼうちょう》する）。

第25話

パーキンソンの凡俗《ぼんぞく》法則

「組織は些細《ささい》な物事に対して、不釣り合いなほど重点を置く」という主張。パーキンソンがこの法則を説明する際に用いたたとえ話から「自転車置き場のコンセプト」、「自転車置き場の議論」と言われることもある。

第26話

アビリーンのパラドックス

ある集団が行動を決定する際、その集団を構成するメンバーの実際の嗜好《しこう》とは異なる決定をしてしまい、誰の嗜好にも合わない結果になってしまうパラドックス的状況。「自分の好みは、みんなの好みには合わないだろうから」などと考えてしまうことも、その一因。

第27話
クリプトムネジア現象
「意図的な盗用《とうよう》」ではなく、他人から聞いた話やどこかで聞いた音楽を、自分で経験したり、思いついたりしたもののように思い込む現象。

ミューズ
ギリシア神話の、文芸・学術・音楽を司《つかさど》る女神。「博物館（ミュージアム／museum）」「音楽（ミュージック／music）」の語源。

第28話
インポスターシンドローム
自分の才能や実績を信じたり、認めたりすることができず、自分を詐欺師《さぎし》（インポスター）のように感じること。結果、新しい挑戦《ちょうせん》をためらったり、制限《せいげん》したりしてしまう。この反対が「ダニング＝クルーガー効果」。

第29話
カリギュラ効果
ある行動を禁止・制限《せいげん》されたり、一部分の情報を隠《かく》されたりすると、かえって欲求が高まるという心理現象。「ダメと言われると、余計にやりたくなる」こと。「鶴《つる》の恩《おん》返《がえ》し」「パンドラの箱」などの物語にもみられる。映画「カリギュラ」が、アメリカで上映禁止になったことで、観たがる人が増えたという事件に由来。ちなみに、「忘れろ」と言われるほどそのことで頭がいっぱいになることを「シロクマ効果（皮肉過程理論）」という。

第30話
心理的リアクタンス
人間の、「自由を奪《うば》われたり制限《せいげん》されたりする（または、そのように感じる）と、反発心が生まれる」という性質。強制《きょうせい》されたり、強く言われたりすると嫌になること。「リアクタンス」は、「抵抗《ていこう》・反発」の意。

第31話
高所恐《きょう》怖《ふ》症《しょう》
高いところに登ると、そこが安全が確保された場所でも、「床が崩《くず》れてしまったら…」などと想像し、過剰《かじょう》に不安や恐怖《きょうふ》を感じる症状。ちなみに、危険性《きけんせい》のある高い場所を恐《おそ》れるのは、正常な反応。

第32話
ブーメラン効果
行った行為の結果が、期待とは異なり、逆効果となって返ってくること。心理学においては、説得によって意図したものとは逆方向に相手の意見が変わってしまう現象を指す。これは、「心理的リアクタンス」によって引き起こされると考えられている。

第33話
バンドワゴン効果
人気だと言われると、商品がよく見えてしまう効果。大勢の人が支持していると、そのことによってさらに支持が集まること。「人がたくさん並んでいるから、あの店はおいしいに違いない」など。「バンドワゴン」とは、パレードなどで行列の先頭にいる、楽隊が乗った車のこと。

第34話
ゴーレム効果
周囲の期待が低い人物は、その期待の低さ通りにパフォーマンスが低下してしまうという効果。悪いレッテルを貼《は》られると、その通りになってしまうこと。「ゴーレム」は、土でできた人形で、命令された通りに動く。

ピグマリオン効果
教師の期待によって、学習者の成績が向上する効果。「教師期待効果」、「ローゼンタール効果」ともいう。実験者の願望が知らず知らずのうちに被験者《ひけんしゃ》に影響《えいきょう》を及ぼす「実験者効果」の一つ。ピグマリオンは、ギリシア神話に登場する王で、彼が理想を投影《とうえい》して作った彫《ちょう》刻《こく》に命が吹き込まれたという伝説がある。

第35話
サンプルサイズの無視《むし》
数値を示されると、そのことに安心して、サンプルサイズ(サンプルの数)に目を向けないまま鵜呑《うの》みにしてしまう現象。「少数の法則」とも。

第36話
バーナム効果
誰にでも当てはまるような曖昧《あいまい》で一般的な内容であっても、自分だけに当てはまっているかのように感じる現象。「占《うらな》い」を信じる理由の一つといわれることもある。この心理現象を検証した心理学者の名前から、「フォアラー効果」とも呼ばれる。

第37話
コントラフリーローディング効果
苦労せずに手に入れたものよりも、苦労したり対価を支払《しはら》って手に入れたものにより強い愛着を感じる現象。

第38話　エントロピー増大の法則

別名、「熱力学の第二法則」。エントロピーとは、「無秩序《むちつじょ》の度合い」を表す概念《がいねん》。たとえば、コップに入った水にインクをたらすとインクがだんだんと拡散《かくさん》していくように、物事も、何もしなければ無秩序な状態に進み、自然に元《もと》に戻ることはないという法則。

第39話　額面《がくめん》効果

物事の表面上の価格や価値の見え方が、認識や行動に影響《えいきょう》を与える現象。小銭《こぜに》だとすぐに使ってしまうが、額面の大きな紙幣《しへい》だと使いづらくなる、など。

第40話　エンダウド・プログレス効果

目標やゴールが目に見える形で近づくほど、モチベーションが高まるという心理現象。遊園地のアトラクションなどの待ち時間表示や、スタンプカードなどに応用されている。

第41話　スパイト行動

自分が損《そん》をしてでも、相手に得をさせない(損を与《あた》える)ようにする行為。

第42話　類似性《るいじせい》の法則

自分と共通点を見つけると、その人に対して親近感がわく現象。価値観や出身地、誕生日、あるいはランダムに割り当てられた番号が同じであるなど、共通する項目はどんなものでもよい。

第43話　ゼロサムバイアス

実際にはそうでなくても、一方が得をしたら、その分、他方が損《そん》をしているに違いないと判断してしまうバイアス。ゼロサムとは、損得の差し引きの合計(サム)がゼロになる状況のこと。「ゼロサム思考」とは、「失敗か成功か」「白か黒か」など、極端《きょくたん》な二択を設定して考えてしまう思考。

第44話　ダチョウ効果

オーストリッチ効果とも。都合の悪い状況にあるとき、その状況が存在していないかのように、見ない(知らない)ふりをしてやりすごそうとすること。「ダチョウは危険《きけん》が迫《せま》ると、砂に頭を突《つ》っ込《こ》む」という英語圏《えいごけん》のことわざが由来。ただし実際には、ダチョウは危険が迫っても、砂に頭を突っ込むことはない。ちなみに、よくない状況(あるいは反対にポジティブな状況)に直面したとき、過剰《かじょう》に警戒《けいかい》することを、巣穴から出て直立したまま辺りの様子をうかがうミーアキャットにたとえて、「ミーアキャット効果」という。

第45話　モラル・ライセンシング

良い行いをした後は、少しくらい悪いことをしてもよいという許可(ライセンス)を得たような気になって、悪い行いをしやすくなったり、良い行いが抑制《よくせい》されること。

第46話

スティンザー効果

座《すわ》る位置によって、相手に与える印象が変わったり、自分との関係性が現れるという、集団における心理効果。ちなみに、テーブルを囲む場合、①隣《となり》に座る人は「味方」、②正面に座る人は「敵対《てきたい》」、③斜《なな》めの位置は「中立／友好関係を築きたい人」のポジション。

サン＝テグジュペリ

フランスの小説家、飛行家。『星の王子さま』の著者。「愛とは見つめ合うことではなく、ともに同じ方向を見ることだ」という言葉は、彼のエッセイ『人間の土地』に登場する。

第47話

ピアノの蓋《ふた》のたとえ

「宇宙船地球号」という概念の提《てい》唱《しょうしゃ》者として知られる、アメリカの思想家バックミンスター・フラーの著書において用いられたたとえ。

幸運の女神には前髪《まえがみ》しかない

「好機（チャンス）」の神カイロスは、出会った人が自分を捕《つか》まえやすいように前髪を伸ばしている。しかし、後頭部には毛がないので、追いかけて後ろから捕まえることはできない。そのため、「チャンスが訪れたら、やって来たそのときにつかまなければならない」という意味で用いられる。カイロスは男神だが、時代を重ねるにつれ、女神として伝えられるようになったとされる。

第48話

グレシャムの法則

同じ額面《がくめん》で素材の異なる良貨（高価値）と悪貨（低価値）があるとき、人々は良貨を貯《た》め込《こ》み、結果的に市場には悪貨ばかりが流通してしまうという法則。

第49話

プラシーボ効果

有効成分が含まれていない偽薬であっても、思いこみや「薬を飲ん

だ」という暗示によって、症状が改善《かいぜん》したり、副作用が現れること。

第50話

ライナスの毛布

安心感を得るため、物などに執《しゅう》着《ちゃく》している状態。マンガ『ピーナッツ』に登場するキャラクター、ライナスが、肌身離《はだみはな》さず毛布を持っていることにちなむ。「安心毛布」ともいう。

第51話

ストックホルム症候群《しょうこうぐん》

誘拐《ゆうかい》事件や監禁事件などの犯罪被《ひ》害者《がいしゃ》が、犯人と時間などを共有することで、感情移入し、犯人に対して好意的な感情をもってしまうこと。1973年、ストックホルムで発生した人質立てこもり事件（ノルマルム広場強盗《ごうとう》事件）に由来する。反対に、監禁者が監禁した相手に同情し、好意を抱くことは「リマ症候群」という。

第52話

コブラ効果

問題を解決しようとしたのに、逆に悪化させてしまうこと。「危険《きけん》な毒で問題となっていたコブラを役所に持ち込めば報酬《ほうしゅう》を与《あた》える」という施策《しさく》が行われた際、人々は（持ち込んで報酬をもらうために）コブラを飼育するようになり、かえってコブラの数が増えてしまったという逸話《いつわ》に由来する。

第53話

働きアリの法則（パレートの法則）

働きアリは、2割の「よく働くアリ」、6割の「普通のアリ」、2割の「働かないアリ」によって構成されるとする説。「よく働くアリ」だけを集めて集団を作っても、やはり2：6：2の割合に分かれてしまうとされる。経済活動において、「全体の数字の8割は、2割の構成員によって生み出されている」とする「パレートの法則」の亜種《あしゅ》。ちなみに、一生まったく働かないアリもいる。こうしたアリを、「フリーライダー（ただ乗り）」あるい

は「チーター（だます者）」と呼ぶ。

第54話
ジャネーの法則
フランスの哲学者ジャネーが提唱した、「主観的な時間の長さは、（同じ時間・期間であっても）年齢が若いほど長く、年齢を重ねるほど短く感じる」という法則。

第55話
ハロー効果
「服装がきちんとしているから、仕事もできそう」など、特徴的《とくちょうてき》な印象に引きずられて全体を判断してしまい、正当な評価ができない現象。「後光効果」、「光背《こうはい》効果」ともいう。

第56話
ウェルテル効果
ゲーテの『若きウェルテルの悩み』に由来する現象。有名人の自死（の報道）に影響《えいきょう》されて、若者が後追いで自死すること。反対に、メディアが自死を思いとどまった例を報道することで人々の自死が抑制《よくせい》されることを、オペラ「魔笛《まてき》」の登場人物にちなんで「パパゲーノ効果」という。

第57話
ピーターパン症候群《しょうこうぐん》
十分に大人といえる年齢に達しているのに、精神的《せいしんてき》に大人になれず、子どものままでいたいと考える人（おもに男性）をさす。大人にならない少年ピーターパンが、架空《かくう》の国ネバーランドで冒険《ぼうけん》する、バリーの作品から。反対に、自分のことを後回しにして、必要以上に男性の世話を焼くことで自分に価値を見出そうとする女性のことを「ウェンディ症候群（ウェンディ・ジレンマ）」という。

第58話
アンダードッグ効果
劣勢《れっせい》側や不利な立場にある側を応援したくなる心理現象。アンダードッグとは「負け犬」のことで、日本でいう「判官《ほうがん》びいき」に近い（判官とは、源義経《みなもとのよしつね》のこと）。反対の表現として、「バンドワゴン効果」がある。

第59話
正常性《せいじょうせい》バイアス
想定外の事態に遭遇《そうぐう》したとき、「ありえないことだ」という先入観によって、事態を過小評価してしまう認知バイアス。日々の変化に心が過剰《かじょう》に反応することを防《ふせ》ぐためのメカニズムでもある。しかし、災害時《さいがいじ》などに過度に楽観的な判断をしてしまい、必要な行動をとれない原因にもなる。

第60話
フードファディズム
食品や栄養が健康や病気に与える影響《えいきょう》を、科学的事実に関係なく、過大に評価すること。

第61話
スポットライト症候群《しょうこうぐん》
舞台上でスポットライトを浴《あ》びるように、一度世間から注目を浴びてしまうと、その快感が忘れられず、「もう一度注目されたい」という欲求にかられること。ちなみに「スポットライト効果」は、自分の外見や行動に対する他者の注目を過大評価する傾向のこと。

第62話 **イライザ効果**
コンピュータやAIなどを使う人間が、それらを無意識に擬人化《ぎじんか》し、感情移入すること。チャットボットの元祖《がんそ》である「ELIZA《イライザ》」に由来する。

第63話 **デフォルト効果**
あらかじめ選択されている選択肢《せんたくし》や、設定されている数値(デフォルト)を変更することなく、そのまま選んでしまいやすい傾向《けいこう》。

第64話 **スノッブ効果**
他人と違うものが欲しい(たくさんの人が持っているものは、欲しくなくなる)という心理。「希少性バイアス」とも。商売の世界では、「(数量・産地)限定商品」などに応用されている。他者の消費が増えるほど需要《じゅよう》が増す「バンドワゴン効果」とは反対の現象。

第65話 **コロンブスの卵**
「誰にでもできそうな簡単なことも、最初に行うのは難しい」ということを表す際に使われる、航海《こうかい》者《しゃ》・コンキスタドール(征服者《せいふくしゃ》)であるコロンブスの逸話《いつわ》。

第66話 **クマンバチの飛行**
「理論上、体に対して羽が小さすぎるクマンバチは飛ぶことができないはずなのに、なぜ飛べるのか?」を説明するために、さまざまな説が提唱《ていしょう》された。現在は、レイノルズ数(空気抵抗《ていこう》)によって、クマンバチの飛ぶメカニズムが説明できるということが明らかになっている。

第67話 **マズローの欲求5段階説**
アメリカの心理学者マズローが提《てい》唱《しょう》した、人間の欲求は、優先順に「生理的欲求・安全の欲求・社会的欲求・承認欲求《しょうにんよっきゅう》・自己実現の欲求」の5つの階層に分けられるとする理論。

第68話 **透明性錯覚《とうめいせいさっかく》**
自分の考えていることや感情が他人に見抜かれていると過剰《かじょう》に考える思い込み。例えば、「自分の緊張《きんちょう》は、聴衆《ちょうしゅう》にバレているだろう」「言葉にしなくても、恋人は自分の愛情をわかってくれているだろう」などと考えること。実際には、自分が思うほど他人は自分の感情に気づいていないことが多い。

第69話 **ストライサンド効果**
一度公開された情報は、それを隠《かく》したり消去したりしようとすればするほど、かえって拡散《かくさん》されてしまうという現象。アメリカの歌手バーブラ・ストライサンドが、個人情報の公開差し止めを求めた裁

判を起こしたことで、より世間の関心を集めてしまったという出来事に由来する。

第70話 ヴェブレン効果

「低価格」は消費者にとっての魅《み》力《りょく》であるが、商品やサービスが高価であるほど、その商品に魅力を感じることもある。その背景《はいけい》には、「高価な商品を見せびらかしたい」「人に自慢《じまん》したい」という自己顕示《じこけんじ》欲《よく》を満たすために、高額な商品を欲しがるという心理効果がある。アメリカの経済学者の名にちなんだ名称。「顕示効果」ともいう。

第71話 選択話法

相手に二つの選択肢《せんたくし》を提示《ていじ》して、相手に選択させることで、そのどちらかを選ぶように誘導《ゆうどう》する話法。「二者択一話法」ともいう。二つの両立し得ない選択肢(情報)を与えた場合、「ダブルバインド(二重拘束《こうそく》)」といい、ストレスを与《あた》えることもある。

第72話 エコーチェンバー現象

自分と似た意見の人が集まる閉鎖《へいさ》的《てき》な空間でコミュニケーションが繰《く》り返《かえ》されることで、自分の意見が肯定《こうてい》され続け、それが一般的にも正しく、支持されるものだと思い込んでしまう現象。また、そうしたコミュニケーションによって、特定の意見や思想が増幅《ぞうふく》する現象。「フィルターバブル」(第85話「確証バイアス」の項参照)がおもに検索エンジンなどのパーソナライズ機能によって起こるのに対し、「エコーチェンバー現象」は、SNS上で起こりやすい。

第73話 回帰の誤謬《ごびゅう》

ある事象の原因について考えるとき、単なる統計学的《とうけいがくてき》な回帰(元の状態に戻《もど》ること)で説明できるにもかかわらず、それを無視した意味づけや解釈《かいしゃく》をして、存在しない原因を想定すること。「○○の誤謬」という言葉には、ほかにも、「合成の誤謬(一つひとつは正しいのに、全体で見ると正しくないこと)」や「分割の誤謬(全体を俯瞰《ふかん》して見たときの結論と、細分化して見たときの結論が違っていること)」などがある。

第74話
オンライン脱抑制《だつよくせい》効果
オンライン上でのコミュニケーションにおいては、その匿名性《とくめいせい》や共感性の欠如《けつじょ》、やり取りのタイムラグがあることやログアウトが可能なことなどにより、対面でのコミュニケーションに比べて抑制《よくせい》が効かなくなる現象。良い方向にも悪い方向にも現れる。

第75話
両面提示《りょうめんていじ》の法則
良い面(メリット)だけを伝えるよりも、同時に悪い面(デメリット)も伝えることで、説得力が増し、信頼《しんらい》を得やすくなること。

第76話
ウーズル効果
証拠《しょうこ》や根拠《こんきょ》のない事柄が、頻繁《ひんぱん》に引用されることによって、(そのこと自体が根拠となって)事実だと誤解される現象。「引用による証拠」ともいう。ミルンの著書『クマのプーさん』で、プーとピグレットが雪についた自分たちの足跡《あしあと》を「ウーズル」という空想上の動物のものだと信じて、ウーズルを探し続けたエピソードに由来する。

第77話
ツァイガルニク効果
人は、達成できなかった事柄や中断している事柄のほうを、達成できた事柄よりもよく覚えているという傾向《けいこう》。その結果、中断させられたことのほうにより興味をもったり、集中力を発揮する。テレビ番組で、いい場面で「衝撃《しょうげき》の結末は60秒後」などと中断させられるのも、この一例。

第78話
フォン・レストルフ効果
似たようなものが多くあるとき、ひとつだけ特徴的なものや異質なものがあると、印象に残りやすいという心理効果。「孤立《こりつ》効果」とも。デザインなど、視覚的な効果にも応用される。

第79話
スタンダール症候群《しょうこうぐん》
文化的価値の高い芸術作品を鑑賞《かんしょう》すると、めまいや幻覚《げんかく》などの症状が引き起こされること。作家スタンダールが、サンタ・クローチェ聖堂のフレスコ画を見上げていたところ、突然《とつぜん》めまいに襲《おそ》われたことに由来する。長時間上を見上げる姿勢《しせい》が原因の一つともいわれる。

第80話
ゴルディロックス効果
童話『3びきのくま』に登場する少女の名前に由来する言葉。選択肢《せんたくし》

が3つあった場合、無意識に真ん中の選択肢を選んでしまう傾向《けいこう》のこと。日本では「松竹梅《しょうちくばい》の法則」ともいわれる。似《に》ている心理効果に「おとり効果」があるが、こちらは、「3つの選択肢に見劣《みおと》りするものを一つ入れておくことで、こちらの選んでほしい選択肢を相手に選ばせる効果」のこと。

第81話

決定回避《かいひ》の法則

選択肢が多すぎると、決断力が低下し、一つを選べなくなるという心理現象。「オプションが多すぎて、商品の購入自体をやめてしまう」なども、この決定回避の法則が表れた例の一つ。スーパーで6種類のジャムを売った場合と24種類のジャムを売った場合では、6種類のほうが10倍もよく売れたことから、「ジャムの法則」とも。

第82話

事後情報効果

あとから知った情報に影響《えいきょう》されて、無意識に自分の記憶を書《か》き換《か》えてしまう現象。

第83話

カメリアコンプレックス

不幸な女性を見ると、(それがどんな人であっても、また、余計なお世話だとわかっていても)助けたくなってしまう男性の心理。「カメリア」は「椿《つばき》」のことで、デュマ・フェスの作品『椿姫《つばきひめ》』に由来する。

第84話

実験者効果

実験を行う人間の、「こういう結果になれば望ましい」という願望が、知らず知らずのうちに被験者《ひけんしゃ》の行動や反応に影響《えいきょう》を及《およ》ぼしてしまうこと。

第85話

確証バイアス

自分の考えや価値観を肯定《こうてい》し、強固にするような、自分に都合のよい情報ばかりを集める傾向。その結果、自分の考えが正しく、自分の見たものだけが真実であるように感じてしまう。例えば、インターネットなどでは自分の好みに合った情報ばかりが集まってくる。するとほかの情報や価値観に触《ふ》れる機会が失われ、「バブル（泡《あわ》）」の中にいるような状況に陥《おちい》る。このように「自分が見たい情報しか見えなくなる状態」を「フィルターバブル」という。

第86話

インパクト・バイアス

ある出来事が起きたときに生じるであろう状況や感情の変化を、（事前に）プラスについてもマイナスについても過大に見積もって予測してしまうこと。

第87話

囚人《しゅうじん》のジレンマ（ゲーム理論）

数学者のタッカーが考案した、ゲーム理論におけるゲームで、個人が選択した最適《さいてき》な答えが必ずしも社会全体の最適解にはならないことの一例。ゲーム理論とは、数学者フォン・ノイマンらが提唱した理論で、ビジネスや社会における人物をプレイヤーとみなし、複数の人が影響《えいきょう》しあいながら意思決定を行う際の問題や状況を研究する理論。経済学をはじめ、さまざまな学問分野で応用されている。「〇〇のジレンマ」として有名なものには、ほかに「ヤマアラシのジレンマ（互《たが》いに仲良くしたいのに、距離《きょり》が縮まるほど傷つけ合ってしまう）」などがある。

第88話

画像優位性効果

人間の記憶《きおく》は、文字や言葉よりも絵や画像のほうが、記憶できる量も多く、長く覚えていられるという現象。

第89話

ラプラスの悪魔《あくま》

フランスの数学者ラプラスが提《てい》唱《しょう》した、「すべての物理的状態や情報を完全に把握《はあく》すれば、未来を完全に予測することができる」という仮説において、すべての物質の状態を知りうる超越的な存在として仮想された悪魔の概念《がいねん》。ラプラス自身は、これを「知性」と呼んでいたが、のちに「ラプラスの悪魔」という呼び名が定着した。「未来を完全に予測できる」と思ってしまう思考の落とし穴の表現として用

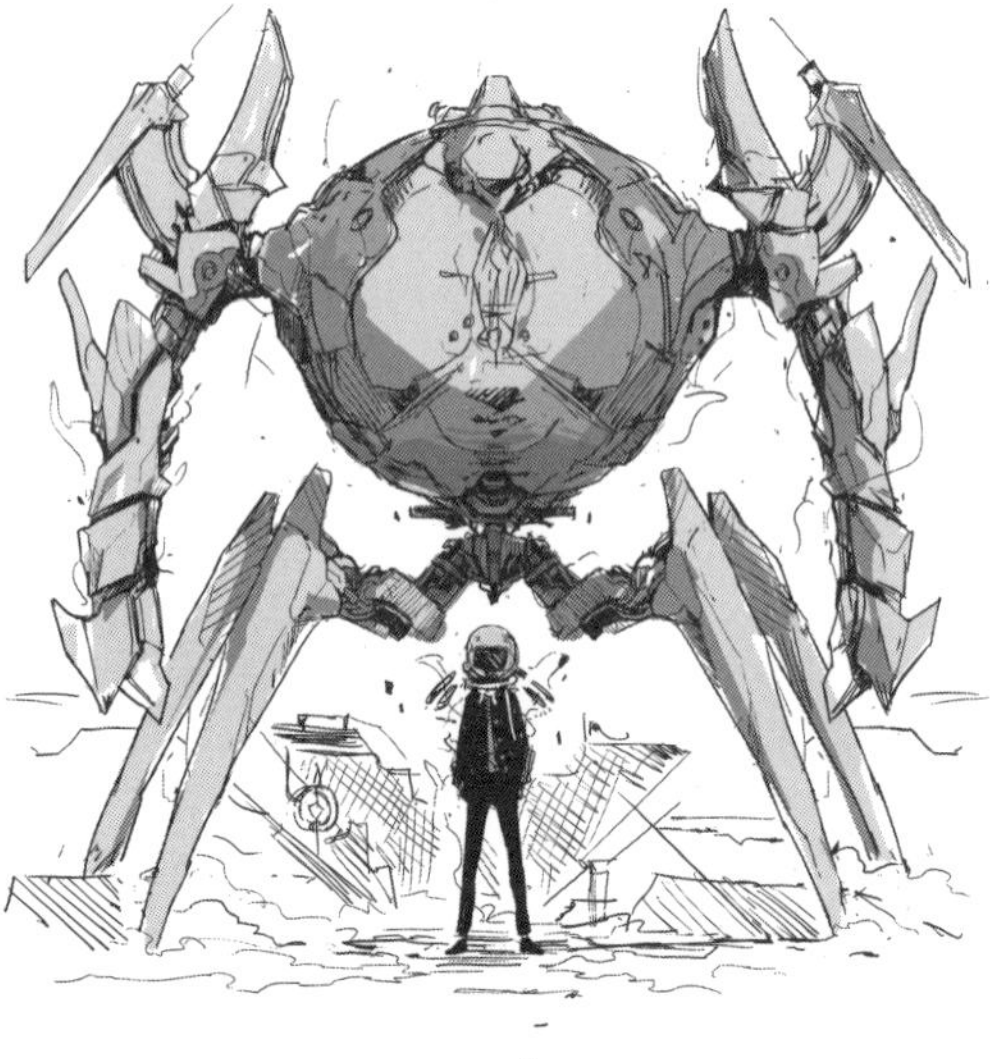

いられることもある。

第90話

不気味の谷現象

ロボットが人間らしくなるにつれ、人は好感や親近感を抱《いだ》くが、ある時点で突然《とつぜん》強い嫌悪感《けんおかん》に変わる。しかし、見た目や動作がさらに人間に近づき、見分けがつかなくなると、より強い好感に転じるようになる、という現象。ロボットだけでなく、人間に似《に》せて作られた立体像やデジタルの像などについて言われることもある。

- 桃戸ハル

東京都出身。三度の飯より二度寝が好き。著書に、『５分後に意外な結末』シリーズ（Gakken）、『５分後に意外な結末　ベスト・セレクション』（講談社文庫）など。編集した書籍は、『ざんねんな偉人伝』（Gakken）など。
X（旧twitter）：@momotoharu_off

- usi

静岡県出身。書籍の装画を中心に、イラストレーターとして活動。グラフィックデザインやWebデザインも行う。

5万年後に意外な結末　プロメテウスの紅蓮の炎

2024年8月13日　　第1刷発行

編著　桃戸ハル
絵　usi
発行人　土屋徹
編集人　芳賀靖彦
企画・編集　目黒哲也
発行所　株式会社Gakken
〒141-8416 東京都品川区西五反田2-11-8
印刷所　中央精版印刷株式会社
DTP　株式会社 四国写研

［お客様へ］
【この本に関する各種お問い合わせ先】
○本の内容については、下記サイトのお問い合わせフォームよりお願いいたします。
https://www.corp-gakken.co.jp/contact/
○在庫については、Tel03-6431-1197（販売部）
○不良品（落丁・乱丁）については、Tel0570-000577
学研業務センター　〒354-0045　埼玉県入間郡三芳町上富279-1
○上記以外のお問い合わせは　Tel0570-056-710（学研グループ総合案内）